LE PA

Né à Veyrac (Lot) en 194
philosophie avant de d
quatorze ans. Il vit actu
attaches avec sa région
mier roman.

CE PAIN DE MÉMOIRE

Né à Metz, 3 Octobre 1948, Jean-Louis Perrier a fait des études de
... il est devenu inspecteur des Douanes pendant
... Il réside actuellement à Argenteuil et garde de forts
liens avec sa région d'origine. Le Pain de mémoire est son premier roman.

Le Pain
de mémoire

JEAN-LOUIS PERRIER

Le Pain
de mémoire

ROMAN

ALBIN MICHEL

© Editions Albin Michel S.A., 1999.

A mon père

1

Ma vie a commencé sous le signe du feu. Mon entrée dans l'existence s'est faite sur la grande échelle des pompiers. C'était par une belle nuit de septembre 1923. Paquet vagissant, emmailloté dans des chiffons mouillés, je suis passé de barreau en barreau entre les mains des hommes du « quartier bas », cependant que la population du « quartier haut », à l'abri des hauts murs du vieux rempart, craignait que les flammes qui dévoraient la boulangerie Charrazac ne gagnent l'ensemble du village de Vayrac.

C'est du moins ainsi que, soixante-quinze ans plus tard, je revis cet événement à partir des récits que m'en firent mon père, Célestin Charrazac, et sa femme Amélie, ma mère. J'ai donc été confié à Albertine, une voisine secourable, le temps que mes parents, avec l'aide de la famille de mon père, rebâtissent boutique et maison.

Me serais-je, dès les premiers mois de mon existence, imprégné de l'esprit de fraternité canaille de cet endroit singulier qu'on appelle le « quartier bas » ou le « carrefour » ? Peut-être. En tout cas, à partir de cette catastrophe initiale, le ton était donné. Je serai élevé en partie par cette communauté, choyé par ses habitants, spécialement par les vieilles femmes. Les caresses, il faut le dire, n'étaient pas le fort d'Amélie. Les voisines, me voyant tendre les bras depuis mon petit parc de bois, sur le trottoir devant la boutique, l'avaient vite compris. Ma mère n'était pas mauvaise femme. Elle passait pour généreuse avec les malheureux, nombreux dans ces années d'après-guerre. Les populations agricoles avaient été durement touchées par l'épouvantable conflit de 14-18, qui avait laissé un long sillage de fermes abandonnées et d'hommes invalides, inaptes au travail.

A Rique et à moi, les fils aînés, ma mère mesurait au plus juste les manifestations de tendresse qu'elle prodiguera, bien plus tard, à l'intention de son troisième fils, René, qui naîtra en 1932. Tout ce qui distinguait mon père de ma mère était résumé dans la différence de leur comportement face au malheur. Alors qu'Amélie montrait une générosité conditionnelle et graduée, Célestin faisait preuve d'une bonté systématique et presque inépuisable. Nous avions fini par admettre ce partage des rôles chez mes parents, tout en souffrant de la dureté d'Amélie. Nous étions particulièrement sensibles à cette prédiction qu'elle assenait à Célestin, quand il rentrait de ses tournées : « Si l'argent ne rentre pas mieux que cela, ils nous feront vendre la maison. »

Cette maison, reconstruite après l'incendie, était la fierté d'Amélie. La demeure de pierre blanche, face à l'allée des platanes surplombant le terrain des boulistes, observait tout le jour un quant-à-soi un peu prude. Elle se tenait en marge de l'agitation des terrasses et des cafés bruyants et enfumés. La boutique de mes parents, située sur la gauche de la maison, arborait une devanture de bois écaillée, surmontée d'une treille dans laquelle vibraient les guêpes de l'été.

Mais, à la tombée de la nuit, le bourdonnement des terrasses s'éteignait. L'énorme coquille ocre des falaises surplombant le bourg sombrait dans l'obscurité. Alors, l'austère maison se transfigurait. Elle semblait accueillir toute la vitalité du carrefour.

Le fournil, qui m'apparaissait comme un navire de briques, se repliait sur lui-même. Autour de Célestin, commandant du vaisseau nocturne, les commis s'affairaient, quasi muets. Seul Giuseppe, le fournier, donnait dans une drôle de langue la réplique aux ordres du *padrone* :

— Ouvrez les ouras ! Envoyez la couleur ! Chargez le foyer ! Dépliez les couches dans la cambuse ! Poussez le feu !

Ces cris résonnaient dans ma tête d'enfant comme des préparatifs d'abordage. Les marins, pliés en deux comme dans une cale, dépliaient les couches humides qui avaient séché sur le sable du four. Puis, ils se précipitaient pour bourrer de bois tendre le foyer aux grilles noircies. Leurs accroupissements me semblaient des génuflexions devant le dragon dont la gueule de fonte calcinait les peupliers des collines. J'entendais avec une compassion enfantine craquer les os tendres.

Quand l'ordre claquait : « Allez chercher le gueulard ! » l'heure était venue pour nous d'aller dormir. Il nous fallait alors regagner l'étage, persuadés que quelque cérémonie initiatique se déroulait autour de cet engin caché sous une toile grise. Le visage de mon père était absorbé par le halo des flammes, à l'entrée du four. Leur sarabande orangée contrastait avec la pénombre du fournil. Pour nous, les hommes de la nuit n'appartenaient déjà plus tout à fait au monde des humains.

Le baiser de Célestin laissait sur ma peau une empreinte rêche et humide. Toute la nuit, le miel sonore du fournil sourdait au travers du plancher de la chambre. Rique et moi, entre les murs bleu sombre, avons été bercés par son flot discret, plus que par la voix maternelle.

Du plus loin que je me souvienne, il m'était impossible de trouver le sommeil avant que ne me parvînt l'écho du ballet nocturne qui se mettait en place au-dessous. Cela commençait par un affairement anodin : de menus grincements, des chocs à l'origine imprécise, des cris, parfois des bribes de chansons. Puis les raclements du pétrin de la première fournée. Les conduits d'air de la voûte du four faisaient chanter le bois. Notre chambre crépitait de minuscules virgules sonores. Nous savions qu'au fournil, une fois de plus, mon père et ses hommes venaient de domestiquer le feu. J'adorais ce brasier dont dépendait la prospérité de la famille, et donc la bonne humeur de notre mère. Nous glissions, Rique le premier, moi bientôt, dans un sommeil peuplé de flammes jaunes.

A notre réveil, nous nous précipitions au fournil embrasser Célestin et les commis, qui avaient troqué leur face rougeoyante contre un visage livide, farineux et fatigué. Les pâtes de la dernière fournée étaient prêtes à cuire. Le vaisseau de nuit, échoué sous des rivages torrides, avait affalé ses voiles grises. Des carrés de toile grenue, qui séchaient la veille, formant voilure sur les grandes queues d'enfournement, tapissaient à présent les paniers d'osier du gros pain. C'était l'heure du dépeçage : on arrachait de petits corps aux profondeurs du pétrin. La « dernière » fournée était gonflée comme un abdomen de femelle dans lequel les tranchoirs, heurtant la fonte, prélevaient des pâtons mâchurés. Les hommes jetaient alors le voile d'un sac sur leur forfait et emportaient le panier au fond du fournil.

Célestin était à l'époque un quadragénaire de haute taille, au corps rond et puissant, les hanches perpétuellement ceintes d'un tablier grisâtre tombant très bas. Il était presque toujours chaussé de sabots de bois qui le grandissaient encore. Il portait une large moustache noire, qui équilibrait des pommettes hautes et larges. De lourdes paupières descendaient sur ses yeux noisette, rendant indéchiffrable le regard où s'animait le plus souvent une expression amusée — *moucondière*, disait-on en patois. De cet homme qui passait pour moqueur, je ne percevais alors qu'une gamme très simplifiée d'émotions : colère, enjouement, commisération, plus rarement tendresse. On le craignait pour sa force et ses fureurs, mais il était mon père. Je l'aimais. Ses humeurs me parvenaient au travers du tamis des cils farineux et de ce regard ironique. Le détachement qu'il affichait ne l'empêchait pas de prendre parti lorsque l'essentiel lui paraissait en jeu. Pourtant, sa véritable obsession était la bonne marche de son fournil. Il se sentait vraiment le capitaine de ce vaisseau, et le père de ce petit régiment. Une boulangerie de campagne, à cette époque, vivait souvent comme une communauté où la frontière était floue entre le temps du travail et celui du repos.

Revenu de l'armée d'Orient six mois après les autres, en juillet 1919, à l'âge de trente-trois ans, Célestin avait retrouvé sa boulangerie après huit ans passés sous les drapeaux. De ses cinq années de guerre, il ne parlait à personne, surtout pas à ceux qui avaient fait la guerre « noble », celle du territoire national. Lui, au sein de bataillons coloniaux, avait pris part à un conflit périphérique, un peu apparenté à ces expéditions de conquêtes coloniales, qui avaient profondément altéré la personnalité et l'équilibre psychique de son propre père. En se mariant un mois après son retour de Salonique, Célestin s'est remis entre les mains volontaires de cette femme de vingt et un ans qui allait devenir son Pygmalion. La gamine avait bien voulu, au début de la guerre, être la correspondante de ce garçon colossal et bourru, de douze ans son aîné. Au long de ces cinq années, elle était devenue une femme, mûrie elle aussi par la guerre et le travail. D'amicale, leur correspondance était devenue amoureuse. Il semble que, malgré la censure, les lettres de Célestin aient effectué un prodige. Beaucoup de lui-même était passé sur le papier. Il avait un vrai talent de plume et le goût des belles lettres.

Leurs échanges épistolaires étaient demeurés, pour la famille, une référence légendaire. Les lettres avaient été brûlées, au retour de Célestin, par ma mère, soucieuse de faire disparaître un témoignage du passé qui ne pouvait, disait-elle, que faire du mal à son mari.

Lui acceptait seulement de raconter la désastreuse expédition des Dardanelles en 1915, où il avait servi dans le corps sanitaire. Son rôle consistait à rechercher les camarades tombés sous la canonnade et à les porter jusqu'au poste de secours. Comme le bruit des canons et l'obscurité l'empêchaient d'entendre les plaintes et de voir les corps, il avait pris le parti de ne tirer hors de l'eau que ceux qui faisaient le poids approximatif d'un sac de maïs, les autres, selon lui, étant trop mutilés pour qu'on pût espérer les sauver.

J'ai très tôt deviné qu'il s'agissait là du seul souvenir « admissible », celui qui lui permettait de tenir à distance bien d'autres épisodes, plus atroces et humiliants. Déjà, à mes yeux d'enfant, c'était cette guerre qui expliquait le fond de scepticisme de Célestin le *moucondié*.

En 1926 — j'avais trois ans —, mes parents avaient embauché un commis d'origine italienne. Cet homme était un antifasciste militant, peut-être même communiste, disait mon père, mais en tout cas un bon ouvrier et c'était cela qui comptait. Giuseppe Galloti avait fui les persécutions mussoliniennes, laissant les siens dans la région de Bergame, d'où la famille de ma mère était également originaire.

Giuseppe, qui occupait une des trois chambrettes mansardées, était pour moi un être magique. Privé des siens, il reconnut en moi un petit garçon en déficit d'amour maternel, et me choisit rapidement comme confident. J'ai passé des heures exaltantes à l'écouter. Surtout les lundis de vacances scolaires, qui coïncidaient avec le jour de repos de Giuseppe. J'étais assis sur le coffre de marine, seul meuble de sa chambre, et il parlait en marchant. Dans son sabir où se mêlaient l'italien, le français et le lombard, le Bergamasque me racontait l'histoire de son pays et les luttes politiques auxquelles il avait pris part. Il me faisait voir les paysages alpins et sa famille, qu'il souffrait d'avoir quittés. Lorsque je ne comprenais pas, Giuseppe avait toujours une photo, un article de journal, un objet pour illustrer les lieux, les situations qu'il me décrivait.

Giuseppe, qui avait conservé la fougue de son engagement communiste, devait exercer une grande influence sur le développement intellectuel de ma mère, et il s'entendait bien avec Célestin, qui appréciait son sens moral et ses compétences de « fournier ». Au long des nuits, ils parlaient beaucoup, tous les deux, car mon père, comme Giuseppe, aimait l'histoire et la géographie. Ils évoquaient souvent l'Italie que Célestin avait un peu connue lors des escales de son régiment dans les ports de l'Adriatique : Fiume devenue croate après la guerre, Trieste ou Gorizia. Un des regrets de mon père était de n'avoir pu visiter Rome, où il avait dû patienter deux jours sur le quai de la gare, avec armes et bagages, sous le soleil brûlant d'août 1917.

Giuseppe appelait parfois Célestin *il Commandante*, et lui reprochait affectueusement de ne pas partager sa confiance dans le progrès et dans l'homme. Pourtant, sous ses airs bourrus, mon père ne manquait pas de générosité. Il était devenu boulanger pour affronter la faim — la sienne et celle de ses frères et sœurs. Ils formaient une tribu turbulente, soudée par les épreuves autour de Célestin et de la mère, Anna. Ils avaient tous grandi en se nourrissant de châtaignes, sur une butte battue par les vents, en Basse-Corrèze. « Acheté » par un fils de notaire qui avait tiré le mauvais numéro, mon grand-père Jean était revenu alcoolique et violent des guerres coloniales du Tonkin et de Chine. Le métier de mon père lui permettait, tout en combat — tant la misère des siens, de se dédommager de la brutalité qui avait marqué son enfance et sa jeunesse. Le boulanger, au même titre que le curé et le médecin, était détenteur d'un bien qui ne se refusait pas, même à qui ne pouvait payer. Sans avoir juré sur Christ ni sur Hippocrate, mon père se sentait fortement lié par ce pacte implicite à toute la population du village et des hameaux isolés sur le Causse, où il faisait sa tournée.

Entrait-il de l'orgueil dans cette attitude, de la fierté dans cette posture morale ? Probablement, mais il y avait plus : c'est en le suivant en tournée que j'ai vraiment su qui était mon père. C'est autour du chariot, chargé jusqu'en haut de pain fumant, que s'établissait le rapport singulier entre celui qui fait le pain et celui qui le mangera.

En effet, les boulangers de l'époque ne se contentaient pas de vendre leur pain. Ils l'échangeaient aux paysans contre le blé qu'ils confiaient au meunier. Agriculteur, meunier et boulanger étaient donc tenus solidairement par la « laisse du temps ». Les boulangers faisaient l'avance d'une moisson sur l'autre, et l'insuffisance du blé dans la vallée ou au creux des dolines du Causse entraînait la gêne, presque la misère pour tous.

C'est ce qui explique que j'ai toujours vu mon père, sous les pluies de juin qui pourrissent le grain, observer le ciel avec, au front, le même pli d'anxiété que les paysans. Du tallage hivernal à la floraison de solstice, une même inquiétude le poussait à arrêter le cheval au bord d'une pièce de blé et à se courber sur les épis, la mine soucieuse. Ce système de troc devait prévaloir jusqu'à la fin des années 60, et ma mère appelait parfois son mari le « boulanger troqueur ». Affectueuse dans les périodes fastes, l'expression se teinta d'acrimonie les mauvaises années. On avait connu, après guerre, des vents bruns porteurs de la rouille qui germe le blé, puis, consécutivement, deux années à charbon qui abaisse le rendement panifiable du blé. Quand les paysans découvrirent une fine pellicule de houille sur le grain, ce furent des hochements de têtes soucieux. Comme ses collègues, mon père admit que le solde du pain dû serait réglé l'année suivante. Cela équivalait à consentir deux ans d'avance pour certaines familles.

L'attaque de charbons pestilentiels caria le blé au printemps suivant, nous frappant comme une plaie d'Egypte. C'était en 1927 et déjà, dans la bouche de ma mère, l'épithète de « boulanger troqueur » se colorait d'exaspération devant les mimiques désolées de Célestin. Ce mot de troqueur associé à : « Tu es trop bon Célestin », que lâchait parfois Amélie, sonnait invariablement à mes oreilles d'enfant comme : *Célestin trop cœur.* Comment mon père pouvait-il avoir trop de cœur ?

Le pain de Célestin et celui d'Amélie n'étaient pas de même essence.

Ma mère était le pain du bourg. Joues poudrées, chignon strict, ses formes rebondies sanglées dans un tablier immaculé, elle vendait un pain qui paraissait ripoliné, car elle l'avait étrillé avec une brosse à poils durs. Croûte luisante, les baguettes semblaient aussi vernies que les rayonnages de bois qui les supportaient dans le magasin clair. Les silhouettes aristocratiques du « pain fantaisie » faisaient des pointes sur l'étagère du haut, à portée de main des clientes du « quartier haut », celui de l'église et des demeures patriciennes où ma mère était née. Cette clientèle-là achetait du pain tous les jours, et faisait pénétrer dans le magasin des effluves de « Rose de Turquie » qui noyaient les senteurs blondes des croûtes en ressuage. Les dames, lorsqu'elles m'apercevaient, cherchant refuge dans les plis rêches du tablier maternel, me parlaient la langue de l'école. D'ailleurs, elles ne me parlaient que de l'école, me prédisant, pour plaire à ma mère, un avenir brillant. Elles m'encourageaient à devenir instituteur, car elles voyaient bien que mes parents menaient une existence de forçats.

En effet, il n'y avait guère de fêtes dans notre vie, ou alors elles ne coïncidaient pas avec celles des autres. Les jours de réjouissances étaient ceux où mes parents travaillaient le plus. Pas de réveillon de Noël ni de Saint-Sylvestre autrement qu'au fournil. Il y avait pourtant dans notre vie une journée purement magique, c'était le dimanche des Rameaux.

J'ai huit ans. Le trot des chevaux mêlé à la rumeur d'accostage du fournil m'a réveillé. De mon lit, j'entends des hennissements, des chocs d'essieux et les cris des hommes calmant leurs bêtes dans une langue douce et impérieuse. Cependant, la porte de fonte du four a continué son battement incessant. Dans mes rêves, le crépitement venu du fournil ne s'est pas interrompu, ourlé par la voix de Célestin qui a prêché la vigilance : le pain des Rameaux ne peut rester longtemps au four. Ce pain consacré, s'il sort sombre, ne peut jouer son rôle de presque hostie, que l'on mangera, croûte après croûte, tout au long de l'année. Rique, en maugréant, est descendu à cinq heures du matin pour soigner les bêtes. Moi, je reste au lit. Enfoui dans la chaleur de mes couvertures, j'écoute le bourdonnement de la fête qui a investi le « quartier bas ». Je sais que le navire de brique rouge a rempli tout le bas de la maison de milliers de petits pains à la croûte blanche et à la fine boursouflure. Sous mes fenêtres, les chuchotements nombreux, les éclats joyeux de voix féminines, indiquent qu'il y a devant la boutique sous la treille, une petite foule de femmes. Sous leur chapeau de paille noire, elles attendent leur tour.

Si la nuit s'est bien passée, j'assisterai à la bénédiction des rameaux, dans l'église remplie jusque derrière les piliers d'où l'on ne voit pas l'officiant. Dans l'arrondi du chœur, se tiendront les garçons du village, consignés par le curé dans les stalles de noyer ciré. Comme chaque année, poulain piaffant dans mon box au milieu des autres garnements, je distinguerai, à l'instant de la bénédiction, l'alignement des croûtes claires. Les petits pains de mon père émergeront de leur linge blanc sous le goupillon du bon et sourcilleux curé Couderc. Cette fois encore, les pains des Rameaux seront l'image portée des angelots blonds voletant sur la fresque bleu ciel qui surplombe le chœur.

Malgré l'attrait que je ressentais pour mon village et ces réjouissances, ma vocation boulangère me vint des campagnes environnantes, que je découvris lors des tournées, passager du char à banc que conduisait mon père. Au matin, de très bonne heure, les hommes avaient chargé la grossière plate-forme. Tourtes et couronnes, fumant entre les ridelles, présentaient des têtes rondes, mates dans le petit jour, comme des casques de soldats dans une barge de débarquement. Leurs croûtes étaient noires sur les tranches. Entre les larges balafres faites par la lame, les panses rebondies avaient gardé la couche blanche de la farine, « fleurée » sur les paniers pour que la pâte ne colle pas à l'enfournement. Je savais que les « gros », dont on devinait l'épaisseur de la croûte, étaient des pains au long cours.

Ils avaient enduré, sur le fond de la sole — ce plancher de pierre réfractaire du four, chauffée à blanc par le gueulard —, une température de haut-fourneau. Mis au four plus tôt, ce pain sortait bien après le pain du bourg, dernier enfourné, premier sorti. Aucun fournier digne de ce nom n'aurait pris de gants pour sortir ces albinos chétifs, alors qu'ils devaient parfois se protéger pour délivrer le ventre torride des enfants noirs à tête dure.

Conduit au pas solennel du cheval, ce pain grossier me semblait acquérir une noblesse particulière. Artaban arrachait sa charge d'un trot allègre, jusqu'à la montée du chemin caillouteux, sous les imposantes falaises de vieil ivoire. J'avais noté le changement de sonorité des sabots du cheval. Son pas se faisait plus rond, presque redoublé par le surplomb des gigantesques roches, striées de coulées noires. C'était le premier village de la tournée. L'attelage faisait halte sur la placette, où les flots verts de la Dordogne déferlaient dans un grondement régulier.

Je regardais le manège des corbeaux, dérangés par la trompe du chariot. Ils tournoyaient sur le haut des falaises. Adossé à la banquette de noisetier, les reins chauffés par le pain, je me laissais bercer par les voix des femmes, qui parlaient une langue douce et incompréhensible. Prohibé à la maison, du moins en notre présence, ce patois occitan était la vraie langue de Célestin.

A la longue, pourtant, ces intonations me sont devenues familières. Cette langue féminine au débit accéléré, riche en diphtongaisons, charriait des aspérités chuintées comme pépites dans la glaise.

Si cette étape sur les chemins de la tournée avait la saveur du dépaysement, c'est qu'une certaine atmosphère de mystère et de romanesque flottait sous les grandes falaises. Une fois parvenus dans le haut du village d'où la vue plongeait sur les vestiges du petit port, Célestin attachait le cheval au bord d'une fontaine dans la cour d'une ferme ; il m'introduisait alors dans un monde qui lui était cher. Dès la première fois, il m'avait prévenu :

— Tu vas voir une dame qui s'appelle Madeleine. Il vaut mieux que tu ne le dises pas à Maman. Ça lui ferait de la peine pour rien.

Madeleine Castagnet était une belle femme rousse, qui riait souvent. Elle me donnait des gâteaux et me permettait de jouer avec les cabris.

L'aîné de ses deux garçons, Julien, avait dix ans de plus que moi et m'emmenait voir les cochons. Il lâchait les gros animaux, aux couinements furibonds, dans le tunnel suintant de la porcherie. Terrorisé, je me réfugiais sur un muret, ce qui faisait rire Julien :

— Oh la fillette ! Il a peur des cochons. Eh ben, c'est pas toi qu'on amènerait à la chasse aux sangliers !

De la chasse, il était souvent question chez les Castagnet, et les sangliers étaient nombreux, une fois gravi le sentier escarpé conduisant au causse d'Yffandes. En son temps, Ferdinand, le vieux père de Julien, avait été une fine gâchette. Il possédait un superbe fusil de marque Fauré-Lepage, qui suscitait l'envie de ses compagnons de battue. Lorsque j'ai fait sa connaissance, Ferdinand Castagnet était un vieil homme diminué, toujours assis sur son banc, hochant en permanence la tête. Quand Célestin passait devant lui, il ne répondait pas au salut de mon père. Celui-ci s'enfermait avec Madeleine, pour une de ces longues séances d'apurement des « comptes d'échanges » particulièrement délicates, qu'il ne fallait interrompre sous aucun prétexte.

2

Nous étions en 1931, je commençais à porter attention aux conversations des adultes. C'est autour de la table familiale que mon père, en coupant le jambon, dit à ma mère :

— Les greniers débordent de blé, comme en 1928. Plusieurs paysans de la vallée vont devoir en donner aux bêtes, sinon ils n'auront pas de place pour rentrer le tabac.

— Tant mieux, on va pouvoir s'acheter une automobile.

Ma mère croyait que l'abondance du blé était toujours synonyme de prospérité. Cette fois, la surproduction du blé était le signe avant-coureur d'une épouvantable crise économique, mais nous ne le savions pas encore. Le propos de ma mère me plongea dans une réflexion anxieuse : s'ils achetaient une de ces belles Renault dont ils avaient souvent parlé, allaient-ils vendre Artaban ? Sacrifieraient-ils le cheval que j'avais toujours connu dans sa stalle, hennissant de plaisir chaque fois qu'on le harnachait pour la tournée ? Me priveraient-ils du compagnon sur lequel mon père me hissait, lorsque nous allions « faire du bois » pour chauffer le four ? A plat ventre sur l'encolure, accroché à la dure crinière, maintenu par la poigne paternelle, j'avais vécu, avec Artaban, mes premières émotions. Longeant le rideau des peupliers épargnés par la cognée des hommes, nous descendions la colline, au pas lent du cheval. Le puissant animal retenait avec peine l'énorme charge. Perché sur son dos, j'ouvrais des yeux avides sur les chatoiements du fleuve, tout en bas.

J'ai gardé le souvenir très vif de ce jour d'automne, où la belle Renault K 25 fit son apparition dans notre famille.

Robert, mon meilleur ami, Rique et moi revenions de l'école. Il était midi et nous nous apprêtions à descendre l'escalier dominant le « quartier bas ». Soudain, à travers les énormes boules cuivrées des platanes, mon frère aperçut un rassemblement devant notre boulangerie. Laissant tomber les mousses couleur rouille avec lesquelles nous nous bombardions, nous dévalâmes les vieux escaliers de pierre qui conduisaient au carrefour.

De la cause de ce rassemblement, nous ne pouvions encore distinguer qu'une longue boucle d'un bleu profond étincelant au soleil. Les consommateurs des bistrots se pressaient autour de l'objet, qu'ils regardaient avec convoitise. Les habitants du carrefour s'étaient mêlés à eux. Il y avait les tueurs de l'abattoir, dont l'odeur de sang desserrait les rangs autour d'eux, les chauffeurs des gravières de la Dordogne aux habits souillés de sable, des marchands de bestiaux en longue blouse de toile noire. Robert avait couru vers sa mère, Albertine, qui, comme d'habitude, régalait la compagnie de quelques formules en patois qui déclenchaient des rires.

Les deux commis se tenaient en retrait de cette agitation. Ils avaient travaillé toute la nuit dans la chaleur épaisse du fournil. Leurs faces saupoudrées et leurs yeux vaguement incrédules leur donnaient l'air d'oiseaux de nuit éblouis par un faisceau de lumière.

Je me dirigeai vers Giuseppe. Penché sur moi, l'Italien me dit gentiment :

— Belle voiture, Cyprien. Beaucoup vendu de pain, le papa.

Sa voix, dont l'accent noircissait les *a*, traduisait une certaine distance par rapport à l'événement qui agitait le carrefour, mais Célestin, sans tablier et en chaussures de ville, fit entendre sa voix forte :

— Voyons, laissez approcher les enfants ! Et puis, il paraît qu'Albertine offre l'apéritif en face.

Profitant du mouvement de reflux qui, malgré les protestations d'Albertine, s'opérait vers le café Marius, nous avons pu découvrir la belle automobile au toit bleu. Deux phares globuleux flanquaient délicatement l'évasement du capot, enserré par les deux ailes de corbeau des passages de roues, prolongés vers l'arrière par de larges marchepieds. On aurait dit un éclat détaché du beau ciel d'octobre.

Ma mère, seule femme du village à avoir passé le permis de conduire, était installée au volant. Je la voyais de profil, le menton encore plus relevé qu'à l'ordinaire, les joues roses d'excitation. Elle avait quitté son tablier et invité Robert, qui à douze ans était déjà féru de belles automobiles, à venir prendre place à l'avant, auprès d'elle. J'étais heureux, car nous allions faire un petit tour entre les deux ponts de la Dordogne. J'avais tout de suite noté que la voiture n'avait pas de rayonnages ; elle n'était donc pas destinée à livrer le pain des tournées et ne condamnait pas Artaban à l'équarrisseur.

Au moment où Célestin se pliait pour s'asseoir à l'arrière, une voix bien timbrée se fit entendre :

— Eh bien, ça n'est pas la crise pour tout le

monde... On voit bien que le prix du blé vient de s'effondrer.

La haute silhouette d'Amédée Sourzac, un gros planteur de tabac, dominait les badauds, sa prestance encore accentuée par sa jaquette et son canotier.

Célestin se redressa, fit face au géant au teint couleur brique, et répliqua, un frémissement dans la voix :

— De quoi te plains-tu, Amédée ? Tu viens de faire classer le département parmi ceux qui ont le monopole du tabac... Je te fais confiance pour t'arranger avec les gens du fisc, sur ton trafic avec les plants... Ne t'en fais pas, conclut-il en s'asseyant, tu pourras bientôt t'acheter la Chenard et Walker.

Je fus rassuré quand la voiture démarra, sous les yeux admiratifs des occupants des terrasses.

Je n'aimais pas cet homme que j'avais déjà entendu se disputer avec mon père lors des tournées. Ancien combattant et responsable Croix de feu, Sourzac, chaque fois qu'il nous croisait sur ses terres, insistait pour que Célestin participe à ses réunions. La voix étranglée avec laquelle mon père refusait cet embrigadement m'avait aidé à comprendre quelle vilaine blessure la guerre avait à jamais logée dans ses entrailles.

La première justification de cet achat somptueux nous apparut dans les jours suivants : une expédition se préparait vers la capitale. C'est qu'il s'y déroulait un événement d'importance : l'Exposition coloniale, la plus grande manifestation organisée à ce jour par la République française. En cette fin d'automne 1931, la France était entrée à son tour dans la crise mondiale, mais ne le savait pas encore.

Je revois encore la route fraîchement asphaltée après Brive, que la belle berline avalait sans heurt

24

ni grincements d'essieux. Je ne sais si nous avons atteint les 100 km à l'heure, mais la voiture était conçue pour. Son beau museau, effilé vers l'avant, rutilait sous la lumière du petit matin. Les deux phares levaient, en vagues successives, le rideau des peupliers qui venaient à notre rencontre en rangs serrés, paraissant s'écarter à regret de notre route.

Célestin, qui n'avait pas conduit d'automobile depuis le service militaire, pilotait avec une concentration que je ne lui avais vue que lorsqu'il enfournait son pain.

Terrassé par le manque de sommeil, je glissai dans une hébétude bienheureuse. Une légère anxiété me vint, de ne pas entendre mon père parler à la machine comme il le faisait avec Artaban. Je dus également m'habituer à ne plus voir le geste des deux bras, montant à la verticale, pour laisser retomber les guides sur l'échine ronde du cheval.

Du voyage, j'ai le souvenir d'un étonnement partagé, lors de la traversée des villes : Limoges, Châteauroux, Vierzon, Orléans.

Lorsque nous avons traversé la Loire, en vue des tours jumelles de la cathédrale d'Orléans, je demandai à mes parents : « C'est une Dordogne ? » Ils ont ri, tous deux ; ma mère m'a répondu, gaiement :

— Mais non, bêta, c'est la Loire, c'est le plus long fleuve de France.

Vexé, je me retournai pour revoir les méandres roulant une eau grise, parsemée de bancs de sable. Célestin ajouta :

— A partir d'ici, nous avons vraiment quitté notre région, mais tu verras, c'est toujours la France... D'ailleurs, tu comprendras tout ce que te diront les gens.

Je me suis recroquevillé sur mon siège en souhaitant qu'ils ne soient pas trop nombreux à vouloir me parler. J'imaginais des foules de gens au parler plat, se pressant autour de l'automobile afin de recueillir mes impressions sur la grande ville, un peu comme dans les hameaux, les femmes, autour du chariot de la tournée, essayaient de capter mon attention, dans leur drôle de langue.

Au fur et à mesure que les maisons se faisaient plus nombreuses, le flot des attelages se mêlait, de-ci de-là, à des voitures automobiles semblables à la nôtre. Mon appréhension se mua alors en anxiété.

Célestin dut le sentir, et décida de me préparer à ce qui avait réellement motivé notre voyage. Il profita de ce que Rique dormait du sommeil du juste.

— Sais-tu ce que nous verrons à Paris, Cyprien ?

— Oui, répondis-je, l'Exposition colonelle.

— *Coloniale*, corrigea-t-il en riant. L'Exposition coloniale, c'est une exposition sur les colonies, tu comprends ? Ton grand-père Ernest et moi, nous sommes des coloniaux malgré nous.

Je tendis l'oreille davantage car ma mère avait voulu l'interrompre :

— Célestin, tu ne crois pas que ce petit...

Négligeant l'objection, la voix de basse reprit, tandis que s'allumaient les réverbères qui piquetaient de lucioles jaunes la chaussée luisante de pluie.

— Nous sommes un peu des Orientaux, nous les Charrazac. Te rappelles-tu comment les gens appelaient ton grand-père de La Martinie ?

— Oui, je m'en souviens : Charrazac le Marin. Ou parfois Charrazac du Tonkin.

La conversation commençait à me passionner. Un jour de beuverie, mon grand-père, « prévôt d'armes », avait mis à mal à lui seul toute la brigade de gendarmerie de Beaulieu. Ce sujet était tabou à la maison. Je sentais la tension qui régnait entre Célestin et Amélie, mais celle-ci renonça à empêcher son mari de parler. Ce qu'il me dit ce soir-là dans cette voiture glissant sur le pavé parisien en direction des Halles est resté gravé dans ma mémoire.

— Si mon père est revenu méchant, c'est à cause de cette expédition dans la jungle du Tonkin, vers la frontière chinoise, où le gouvernement français les a laissés cinq mois sans rien à manger. Les porteurs étaient partis avec la nourriture ; pendant cinq mois, ils ne se sont nourris que d'un peu de riz et d'eau-de-vie... Déjà, le gouvernement ne savait pas ce qu'il voulait : rester ou partir...

J'écoutais mon père, médusé. Je comprenais que mon grand-père, n'ayant eu que de l'eau-de-vie à boire si longtemps, soit revenu alcoolique de la guerre coloniale.

D'une voix sourde, mon père poursuivit :

— C'est comme nous, plus tard, quand ils nous ont envoyés pourrir sur les bords du Vardar et dans les marécages roumains jusqu'en 1919.

— Célestin, dit ma mère, tu te fais du mal. Ces enfants ne peuvent pas comprendre...

Nous sommes bloqués le long d'une pile invraisemblable de cageots de bois qui nous cachent presque une belle église qui ressemble à Notre-Dame de Paris, que j'ai vue sur un livre de Victor Hugo. Une violente odeur d'épices, de poissons, de fruits, a envahi la voiture. Encore quelques dizaines de mètres, et mon père arrête l'automobile devant une grande halle festonnée d'ogives, dont la structure de fer et de béton s'allonge à perte de vue. Nous regardons la grande place, faiblement éclairée par les hauts réverbères. Elle me rappelle le grouillement du nid de cafards que j'ai observé un jour en détachant une lame de planche vermoulue de la cambuse. Seuls les chevaux parviennent à se frayer un passage au milieu de l'amoncellement de potirons énormes, de paniers d'osier vides, dont l'empilement dépasse la taille d'une maison. Devant nous, auprès d'un chaudron de cuivre fumant qui exhale une forte odeur de soupe aux choux, des gens mal vêtus attendent d'être servis.

Le fumet n'a pas échappé à mon frère aîné, le gros Rique, qui donne des signes de nervosité comme chaque fois qu'il a faim. Pendant que nous attendons mon père, parti à la recherche de l'oncle Paul, débardeur aux halles, ma mère, pour faire diversion, attire notre attention sur l'effervescence qui agite la halle brumeuse. Une noria d'hommes robustes, en blouse et calot souillés de sang, avancent, courbés sous le poids de quartiers de viande plus gros qu'eux, mais de même couleur. Nous regardons avec stupeur ces hommes ployant sous d'énormes charges marbrées de plaques rouges. Les pièces de viande sont si grosses, qu'ils n'assurent la prise qu'en crochetant solidement dans le bord rigide qu'offre à leurs larges mains le tranché du sternum.

Il y avait une grande ressemblance entre leur geste pour accrocher le bloc de viande et l'enlevé de la balle de farine par Moustache. J'avais une admiration éperdue pour ce livreur, seul à pouvoir placer un sac de cent kilos en haut de la pile, contre le plafond. Mêmes gestes, jusque dans le coup de reins qui faisait basculer vers l'avant la charge empoignée une main au creux du râble, l'autre tenant fermement la coupe nette à ras de la nuque, là où l'animal avait été décapité. Les jambes légèrement fléchies, tous ses muscles bandés, l'homme projetait la carcasse d'un mouvement brusque, pour ficher le jarret dans un crochet, à deux mètres de haut.

Mon père revenait vers nous, accompagné d'un de ces géants en blouse souillée. Je reconnus mon oncle Paul, qui avançait avec la démarche chaloupée caractéristique des hommes de notre famille. Il ressemblait beaucoup à Célestin dont il était le cadet de deux ans : même corpulence ronde, les cheveux noirs et drus, déjà parsemés de fils blancs, les yeux très étroits, la paupière lourde, mêmes pommettes hautes. Il nous prit dans les bras, à tour de rôle, en nous tenant à distance de sa blouse maculée, prononça quelques mots d'affection dans ce patois corrézien qu'il n'avait pas oublié, et dit à ma mère avec un bon sourire :

— Bonjour, Mélie, je suis content de te voir... Tu m'excuseras, mais la bise ça sera pour tout à l'heure...

Rique me faisait signe, en se pinçant le nez, que Paul sentait fort. Effectivement, son odeur soulevait un peu l'estomac, d'autant que nous avions faim. L'oncle était parti se changer et nous avons patienté en mangeant des saucisses sur le trottoir, devant les arcades noyées de lumière qui rappelaient des vitraux d'église.

Paul habitait Saint-Ouen. La crise économique commençait de faire des ravages dans la population ouvrière. Dès le lendemain matin, nous avons découvert les files d'attente aux bureaux d'embauche. J'ai le souvenir d'une queue le long des usines Citroën. En ce petit matin de novembre 1931, les hommes paraissaient las, mal nourris ; tous avaient les traits tirés. Il y avait beaucoup de jeunes parmi eux. Le serpent humain remontait jusqu'au boulevard principal de Saint-Ouen. La résignation, plus que la révolte, paraissait habiter ces hommes en casquette, emmurés dans leur solitude. Quand je demandai à Célestin qui ils étaient, il me répondit, en passant sa lourde main dans mes cheveux :

— C'est la chair à canon de la prochaine guerre.

Je ne reconnaissais pas mon père. Lui, d'habitude

si économe de gestes et de paroles, avait eu une longue conversation animée avec Paul, Berthe et le mari de celle-ci. Il était question de la guerre et ils ne semblaient pas d'accord. Le même frémissement de voix que lorsqu'il répondait aux invitations de Sourzac à ses réunions d'anciens combattants troublait le beau baryton de Célestin. Ma mère se contentait de mettre sa main sur son poignet, s'interdisant d'intervenir, comme si elle craignait d'augmenter encore la colère de son mari.

J'ai gardé plus d'images des villes de la banlieue parisienne parsemées de soupes populaires et suant la misère que de l'Exposition coloniale elle-même. Des fontaines lumineuses, des pagodes, des huttes de l'A.O.F. qui parsemaient la clairière de Vincennes, je garde surtout le souvenir de dos d'adultes me dérobant la vue. C'était le 13 novembre, deux jours avant la fermeture, il faisait froid, les gens se bousculaient pour accéder aux stands.

Le Temple d'Angkor, reconstruit à l'identique, me fit plus forte impression quand, devant les quatre immenses bulbes effilés pointant leur silhouette orgueilleuse dans le ciel sale de Paris, mon père, au comble de l'exaspération, s'écria d'une voix bien timbrée :

— Quand on pense que c'est pour ces cartons-pâtes qu'on a fait massacrer tous ces pauvres gars là-bas.

Le voyage de retour fut morne, désenchanté. Je n'avais compris qu'une chose : la France était gagnée par une misère dont je déchiffrais mieux les stigmates au long des villes que nous traversions pour regagner le Quercy. La belle Renault me paraissait soudain beaucoup moins rutilante.

Mon père remâchait des aigreurs plus anciennes.

— Enfin, à quoi t'attendais-tu ? lui demanda Amélie sur un ton impatient.

— Je ne m'attendais pas à ce qu'il y ait une exposition sur la bataille du Mont-Sokol, ni sur le siège de Tuyên Quang. Mon père et moi avons perdu notre jeunesse pour une mascarade, et jamais la République française ne saura nous rendre justice.

La voix de mon père avait dérapé, sous le coup d'une colère contenue. Je m'étais enfoncé dans mon siège arrière. Je renonçais à démêler ce qui relevait de la déception de mon père, retour de l'Exposition coloniale, et de l'incompréhension mutuelle affectant le couple de mes parents.

3

Depuis notre voyage à Paris, la crise économique était une réalité pour mes parents. Les discussions au magasin ou pendant les tournées étaient teintées de la grisaille des foules parisiennes. Dans les campagnes, rares étaient ceux qui avaient conscience de l'épouvantable crise qui se profilait, tant notre pays, adossé à son empire, semblait pouvoir se suffire à lui-même. Pourtant, l'effondrement du cours mondial du blé n'avait pas échappé aux paysans et aux boulangers qui, du jour au lendemain, se trouvèrent payés en monnaie de singe.

Il fallait cependant payer les commis, faire face aux frais d'exploitation avec, comme contrepartie du pain livré, un blé qui avait perdu la moitié de sa valeur. Rique et moi ne comprenions guère ce qui se passait mais nous souffrions des disputes entre Amélie et Célestin à chaque retour du chariot.

Un jour enfin, lors d'une tournée avec mon père, je pris la mesure de la situation.

Nous étions sous les roches d'Yffandes, et une soudaine dilatation du ciel avait soufflé le haillon des oiseaux aux parapets de calcaire. Le fleuve roulait dans la plaine un embonpoint couleur acacia. Les berges peinaient à contenir l'eau. Je ne pus retenir une exclamation stupéfaite :

— Regarde le champ de blé à Destaillac !

Depuis notre dernier passage, le champ était méconnaissable. Célestin arrêta Artaban près d'une cascade et m'entraîna jusqu'aux sillons. Les blés penchaient la tête jusqu'à la terre molle. Depuis le mois de mars, le ciel avait crevé ses humeurs sur la vallée. La pluie avait tourné du Sidobre aux confins auvergnats. Des vents de courte haleine nous avaient ramené les nuages, comme des outres froides.

Célestin arracha un épi boueux, porta un grain à sa bouche, le croqua, le recracha aussitôt en s'écriant :

— Ce blé... mais... ils ont planté du Vilmorin 27 !

Le pli soucieux au coin de ses lèvres disait que cet épi, enfant hydropique au bout d'une tige livide, participait de l'atmosphère de malheur que je ressentais depuis notre retour de Paris. Je demandai à mon père :

— C'est pas du bon blé ?

Il secoua la tête et me répondit, agacé :

— Ça fait du poids, mais il n'y a presque pas de gluten là-dedans. Il va nous en falloir de la farine de Beauce pour faire un pain convenable avec ça !

Nous reprîmes place sur le char à banc.

— Il va bien falloir qu'on se décide à visiter l'oracle, déclara mystérieusement mon père. On attendra l'automne ; certaines choses ne peuvent se dire qu'après la moisson.

L'automne 1931 fut celui de la grande inondation. Les pluies s'abattaient sans discontinuer sur le village. Elles transformèrent la rue principale, très pentue, en un torrent qui surgissait on ne savait d'où. L'eau jaunâtre charriait cailloux et plaques de goudron, s'insinuait sous la porte du fournil où elle faisait des flaques pâteuses qu'il fallait éponger et racler plusieurs fois par jour. Le petit ruisseau au bout du chemin creux des boulistes débordait et formait un lac boueux, dont les bords opaques léchaient les trottoirs. La Dordogne coulait à trois kilomètres du village. Son lit n'était pas encore domestiqué par les barrages qui ont été édifiés depuis. Elle ruait, comme une bête blessée, arrachant des pans de berges qui s'écroulaient mollement dans l'eau brune. Les riverains, réfugiés depuis plusieurs jours dans les greniers, avaient vu partir certaines de leurs bêtes au fil de l'eau. Ils assistaient, impuissants, à l'effondrement de bonnes terres herbues, qui roulaient un moment dans des tourbillons puis s'engloutissaient aussitôt. Il n'était plus temps de penser à refaire les enrochements de stabilisation pour protéger les prés ; il fallait attendre que le déluge cesse. Profitant d'une accalmie, mon père décida d'assurer une tournée que l'on remettait depuis quinze jours.

Pour apaiser ma mère, inquiète de notre expédition, il fut décidé que la tournée serait allégée. Dans chaque hameau, il déposerait des sacs de pain dans les dépôts prévus pour ce genre d'occasions. De là, les grandes barques du voisinage feraient une chaîne de solidarité pour ravitailler les isolés.

Chemin faisant, Célestin m'expliqua que nous n'irions que dans une seule ferme : celle de l'homme qu'il appelait « l'oracle ». Il s'agissait, m'expliqua-t-il, du domaine de Mirandole, juché sur un piton dominant la rivière. Le sage de Mirandole était le plus influent des producteurs de blé. Il avait tout pour occuper cette position : sa rigueur morale, son goût pour le beau langage. La situation élevée de ses terres lui permettait de produire des blés de qualité, mais l'éloignement du cours de la

Dordogne lui interdisait de faire pousser du tabac. Le blé étant sa source presque exclusive de revenus, Martignoux — c'était son nom — bénéficiait de la confiance des autres producteurs, dont il était, en quelque sorte, le porte-parole.

Avançant au pas lent du cheval, nous avons découvert des lacs miroitant de part et d'autre de la route. La campagne était déserte, hormis les bandes de corbeaux qui craillaient autour des noyers. Une crainte me saisit lorsque je me rendis compte qu'au lieu de l'impact rond et sonore du sabot, un bruit bref et assourdi par l'eau accompagnait le pas du cheval. Le char à banc se frayait un passage dans les chemins ravinés d'eau sale, dont le niveau monta jusqu'à l'axe central des roues. Lorsque nous nous sommes retrouvés au fond du vallon, Artaban, encouragé par la voix familière de mon père, arracha sa charge en dodelinant de la tête, comme pour approuver les paroles de son maître. Je n'en menais pas large, me demandant si l'eau allait continuer à monter ainsi, sous la sarabande folle du fleuve. Lorsque nous avons abordé la route en corniche menant à l'unique pont suspendu encore accessible, le grondement devint fracas. Les hautes roues du chariot brassaient une eau troublée, dont le niveau diminuait avec la montée du pont. Le cheval n'en avait plus à présent qu'au niveau du paturon.

Je compris que nous étions tirés d'affaire, car je savais que le chemin en corniche que nous venions de quitter était très friable. Cette route mal stabilisée avait déjà, lors des jours d'orage, occasionné des accidents mortels. Malgré l'eau qui dégoulinait de l'auvent de la carriole sur son vieux chapeau informe, Célestin paraissait heureux. Son visage était comme poli par l'eau. Ses pommettes hautes, rosies, son teint pâle d'homme de la nuit rehaussé par le vent et la pluie, le rajeunissaient. Une allégresse que je n'ai jamais oubliée s'est alors emparée de moi, à la vue de la vallée fumante de brume, où la Dordogne avait pris des allures de delta. Au fur et à mesure que la route s'élevait vers la croix plantée au sommet de la colline, je découvrais un paysage inconnu, comme si l'on m'avait transporté dans quelque Amazonie... Des champs et des prés, ne subsistaient plus que les troncs de noyers dont les branches sans feuilles paraissaient des racines implorantes.

Nous avons continué à gravir le chemin qui longeait des étagements de prés en pente. A présent, même les corbeaux s'étaient tus. Derniers à faire front à l'orage, ils avaient dû regagner l'abri des falaises. Je n'avais plus peur, j'étais fier à l'idée d'avoir surmonté la crainte de l'inondation et d'être, avec mon père, la première personne à rendre visite aux fermes isolées. L'attelage avait repris un bon trot sur la terre battue, ravinée mais ferme du plateau. Nous pénétrâmes dans la cour de ferme de Martignoux, où nous nous rendions pour un compte d'échanges un peu particulier. Sitôt Artaban et le chariot à l'abri sous le vaste hangar, le fermier nous fit entrer dans la cuisine sombre. J'avais senti sa main dure caresser ma joue, pendant que son épouse, plus âgée que lui, m'enlevait mes habits de pluie.

Je connaissais bien cet homme, sec et musculeux, au regard noir, direct et plein de prévenance. Il aimait les enfants, mais sa femme n'avait jamais pu lui en donner.

Nous nous étions installés dos au feu de la grande cheminée, dont le brasier crépitait en fumant un peu. La fermière nous servit sur la nappe à gros carreaux, un lait chaud pour moi, et un verre de vin paillé pour chacun des deux hommes.

Sur la table, il y avait un livret très usagé de couleur rouge. Je connaissais bien ces carnets d'échanges, car j'avais l'habitude de les annoter du poids du pain que j'enfonçais dans les grandes boîtes de bois disposées à l'entrée des fermes. Pendant que mon père faisait les comptes avec le maître de maison, son épouse me questionnait avec avidité. Le reflet des flammes de la cheminée dansait dans ses yeux clairs, un peu tristes. Sa gentillesse me faisait du bien. Elle détournait mon attention des craquements de la maison et du chêne dont les branches grimaçaient au travers des rideaux brodés.

Rasséréné, je pus enfin prêter attention à la conversation des deux hommes. Martignoux était pressé de libérer son grenier qui regorgeait de blé. Il lui fallait sans tarder mettre à sécher sa récolte de pommes, dont l'odeur sure imprégnait la maison.

Avant d'en arriver à la contrepartie en pain que Célestin devrait fournir pour ce blé médiocre, la discussion avait porté sur « la crise américaine », le grand sujet du moment : accepterait-on de continuer à supporter le paiement aux Etats-Unis des frais occasionnés par la guerre ? Comme tous les anciens combattants français, les deux hommes reprenaient à leur compte l'idée qu' « on n'avait pas à rembourser la vareuse dans laquelle nos camarades s'étaient fait tuer pour la liberté de tous ». Puis, ils avaient évoqué la crise ravageant ce grand pays. Mieux que Martignoux, Célestin était informé de la situation dans les villes françaises, où les fermetures d'usines commençaient à se multiplier. Comme mon père évoquait le récent décret du gouvernement, imposant un taux de blutage très élevé, Martignoux avait retrouvé le fond rocailleux de sa voix, soudain plus forte :

— Ce que je vois, moi, Célestin, c'est que je vais

devoir donner aux cochons plus du tiers de mon blé... Ce décret, c'est la mort des petits producteurs.

Ce frémissement dans la voix du fermier m'alerta. Je n'aurais jamais cru Martignoux vulnérable.

Un silence s'établit, pendant lequel les balafres bleues des éclairs étaient aspirées vers le bas, par les roches accroupies sur le fleuve. Le grondement, mêlé aux roulements du tonnerre, montait jusqu'à nous. Célestin, les yeux rétrécis par la fumée qui refluait de la cheminée, regardait la vallée à travers la lucarne du cantou. Puis, bourrant sa pipe, il déclara, en fixant le fermier :

— Augustin, il faut que je te dise... Il va falloir réviser l'échange. Avec le blé mouillé que j'ai vu dans tes champs au printemps dernier, je ne pourrai plus te donner cent vingt kilos de pain au quintal de farine.

— Ah ! bon..., fit seulement Martignoux.

Célestin alluma sa pipe, en crapotant des petits nuages de caporal gris, qui me soulevaient le cœur. Puis il reprit :

— Amélie attend un troisième enfant... Je vais peut-être devoir embaucher une vendeuse. Alors, si vous me donnez tous du blé rachitique, je ne vais plus pouvoir payer la farine de minotier qu'il va me falloir ajouter...

Mais je n'écoutais plus. D'un seul coup, tout s'était brouillé dans ma tête. Je venais d'apprendre qu'il faudrait partager le maigre filet de l'affection maternelle avec un troisième enfant.

Je perçus à peine la voix étrange de Mme Martignoux :

— Vous ferez nos félicitations à votre épouse, Célestin.

On n'entendait plus que le crépitement de la cheminée. Le vent renâclait sur le toit de la ferme, tripotant les tuiles. Il me semblait qu'il n'y eût nulle part d'abri pour moi. Célestin, qui l'avait compris, m'avait attiré à lui de sa rude poigne.

— Ici, le plateau retournera à la garrigue après nous.

C'était Augustin qui avait dit cela, d'une voix lugubre, en français, mais selon un phrasé où la gangue blanche et contenue se laissait envahir de l'intérieur par les sonorités sombres de la langue originelle. Le silence retomba. Célestin tirait sur sa pipe. Le pli de ses pommettes était plus tendu.

Mme Martignoux me tournait le dos. Accroupie, elle retournait les pommes, qui séchaient au fond de la pièce. Il me semblait l'entendre renifler. Enfin, Célestin dit :

— Tes enfants, tu les as semés à Verdun, dans la terre des tranchées. Tous ceux qui naissent libres sur cette terre sont les tiens, Augustin...

— Tu as peut-être raison, répondit le fermier. Mais c'est plus fort que moi : quand j'entends la fanfare que les jeunes de la fête promènent dans les fermes de la vallée, je suis content qu'ils ne montent pas jusqu'ici, parce que je ne peux pas m'empêcher de penser que je devrais en avoir un, en âge de faire la fête, et de me demander s'il ressemblerait à celui-ci ou à celle-là.

Mme Martignoux se retourna, posa des pommes mâchurées sur la table et dit d'une voix raffermie :

— Célestin a raison, tu te fais du mal. C'est Dieu qui n'a pas voulu...

— Dieu, je ne sais pas, fit Célestin avec cette brusquerie qui était sa façon à lui de se montrer compatissant.

Son regard alla se perdre dans les flammes de la cheminée, puis il reprit, après une longue inspiration, comme lorsqu'il se préparait à chanter :

— L'odeur des bûchers de Macédoine... Nous y avons jeté dix mille corps de jeunes camarades morts du typhus. Certains étaient encore des

40

enfants. Les panaches de fumée retombaient en suie sur les blés, au pied des monts Camburiens. C'est là que j'ai compris, à voir se balancer les premières tiges blondes depuis l'été 14... J'ai senti que c'est toujours la terre qui gagne. Les enfants s'en vont, la terre reste.

Pour quelqu'un d'aussi peu bavard que mon père, c'était là une longue période. De la suite de ses propos, n'est demeuré dans ma mémoire que le souvenir d'une musique funèbre et douloureuse. Lorsqu'il s'est arrêté de parler, le feu était éteint. En se levant pour le ranimer, Augustin avait seulement dit :

— Ici, même la terre mourra après nous, et les ronces envahiront nos tombes.

Célestin curait sa pipe.

— Ta terre, dit-il doucement, elle vivra après toi, si tu la respectes. Ça me gêne de te le dire, Augustin, mais ces plants nouveaux font des têtes de vieilles aux épis. Ils ne se tiennent pas droit dans les sillons.

— C'est les pluies du printemps, répondit Augustin d'un ton gêné.

— Non, Augustin ! Tu as semé comme dans des terres à bisons. On n'est pas en Amérique, ici. Dans tes collines, tu n'as jamais vu plus gros qu'une chèvre... Tes plants, ils font du rendement, ils font de l'épi, mais bientôt, ce ne sera plus ton pain que tu mangeras.

Comme le fermier gardait le silence, Célestin précisa :

— Tu comprends, si je veux que le pain puisse se conserver, je dois mettre au pétrin la moitié de farine de Beauce. Bientôt, si ça continue comme ça, sans même le savoir, tu mangeras du pain du Nord, et moi je me serai ruiné pour payer ces farines blanches.

L'argument avait porté. Je le vis au geste vif

qu'avait eu Martignoux pour avaler son fond de vin paillé. Il avait repris son expression volontaire de vieux sage de la colline, celle qui lui valait son ascendant sur les paysans des environs.

— Il faut qu'on le voie ensemble, ce blé, Célestin. Tu l'as vu seulement sur pied, au printemps. Montons au grenier, voyons les grains. Après, je me fierai à ton jugement. Après tout, c'est toi qui vas devoir faire du pain avec.

Ils sortirent. La bourrasque de dehors vint aplatir les flammes. Le chien noir s'était dressé d'un bond en aboyant.

— Il a entendu le chat-huant, me dit Mme Martignoux. Tiens, entends-tu les vaches qui réclament ? Veux-tu venir traire avec moi ?

Je ne me fis pas prier. J'étais trop heureux de retrouver la touffeur des étables et la chaleur apaisante des grands animaux roux.

Je n'avais jamais vu de si haut les étagements gris du Limargue. Des nuages ou des flots, on ne savait ce qui dérivait. A l'horizon pelé des causses, l'eau tirait la vallée contre les collines. Le défilé rocheux enveloppait la grande maison au bord de l'à-pic taillé au rasoir dans les falaises. Mon père, qui nous avait rejoints, me montra, au loin, le grand peuplier sur la butte de La Martinie, en me disant, comme chaque fois que nous nous trouvions sur les collines hautes :

— Tu vois, le pivoul est là ; il ne peut rien nous arriver.

J'ai souri, en pensant que c'était peut-être un peu vrai. Le grand arbre, planté au plus haut point de la région le jour de la naissance de Célestin, l'avait toujours protégé des dangers qu'il avait dû affronter. C'était du moins ce qu'avait assuré la voyante de Sioniac à ma grand-mère :

— Cet enfant vivra tant que le pivoul sera debout. Après...

Nous sommes descendus sous le roulement de l'orage qui s'éloignait. Il feulait maintenant vers le proche Périgord, en grondant comme un fauve qui abandonne le combat. Son fracas décroissant se mêlait au bourdonnement obsédant de la crue. Au fur et à mesure que l'attelage descendait le chemin détrempé, traversé de ruissellements, encombré de caillasses sur lesquelles trébuchait le cheval, j'avais la sensation de glisser sur les parois du chaudron du diable. Parvenus en bas de l'éperon calcaire qu'occupait la ferme de Martignoux, nous avons abordé la position en creux du promontoire, qui menait au pont de bois.

Le niveau de l'eau noire traversant le chemin avait encore monté. Comme à l'aller, le piétinement d'Artaban soulevait des petites gerbes liquides. Puis, rapidement, le pauvre animal eut de l'eau jusqu'au poitrail et recommença à hennir et à se cabrer. Mon père hurla en patois, en le fouettant violemment. Je regardais Célestin à la dérobée. Sous le jour déclinant, mal protégé par l'avancée de la capote, son visage ruisselant était tendu. Il suffisait que le cheval perde pied, pour que nous soyons emportés dans les flots gonflés qui allaient s'encastrer dans un énorme amoncellement de branches coincé contre la falaise proche. Nous distinguions, dans ces débris d'arbres arrachés, la plate-forme de la drague mobile située en amont, dont les filins d'amarrage avaient cassé. La lourde barge était soulevée à la verticale par les paquets d'eau sombre. Elle piochait comme un minuscule bouchon de liège, au gré des pulsations du courant. Nous apprendrions le lendemain que les corps de deux ouvriers, emportés en voulant l'arrimer, avaient été retrouvés à vingt kilomètres en aval.

Le cheval était parvenu à arracher l'attelage hors

de la poche d'eau. Nous dominions à présent le tohu-bohu du fleuve. Il avait descellé une pile du pont, dont le tablier pendouillait, prêt à s'abîmer dans le bouillon sombre. De l'endroit où nous nous trouvions, seuls les chênes émergeaient du miroir glauque des champs. Leurs branches dépouillées les faisaient ressembler à de grandes araignées d'eau. Les meuglements du bétail, fou de peur, se répondaient d'une ferme à l'autre.

Il nous fallait revenir par le pont de Carennac. En vue du hameau suivant, halte habituelle de la tournée de Célestin, un attroupement de silhouettes, enveloppées de longs manteaux de pluie, arrêta le cheval. Les puissantes lampes à carbure des gendarmes fouillaient la colline. Une femme vint à nous. Elle prit mon père par le bras, le tira un peu à l'écart. Je n'entendis pas ce qu'elle dit à Célestin, mais sa silhouette se tassa.

A la lueur d'un éclair, j'aperçus son visage défait. Je pris sa main. Mêlés aux villageois silencieux, nous avons alors découvert, en levant les yeux, une immense traînée boueuse qui balafrait la colline. Un torrent brunâtre dévalait du plateau de Mézels, bouillonnait sur une arête rocheuse et s'engouffrait dans un trou de la route. Mon père descendit précipitamment de l'attelage ; il grimpa en courant le raidillon bourbeux, jusqu'à la maison de Madeleine, qui occupait un promontoire surplombant le fleuve. Je tentai de suivre Célestin, que je n'avais jamais vu courir si vite. En parvenant sous la falaise, je crus basculer dans un cauchemar : accroché à un pan de rocher, au-dessus d'un trou noir, un anneau était demeuré, éclairé par la lampe que mon père promenait sur le vide. Cet anneau était celui où il attachait le cheval, au bord de la fontaine d'eau vive, les jours de canicule. Il semblait nous fixer, à la manière d'un œil mort. Là où, une heure auparavant, la maison Castagnet était bien assise, il n'y avait plus qu'un torrent de boue. La maison et ses trois corps de bâtiment avaient dévalé dans la Dordogne, avec tout un pan de colline.

Deux hommes retenaient une longue silhouette au bord du gouffre. Le jeune homme hurlait dans le vide, avec pour tout écho l'imperturbable ronflement des eaux couleur de houille dans le halo lumineux. De la maison, ne restait plus qu'une grosse poutre que les eaux avaient rejetée sur la berge.

Mon père s'approcha du groupe qui paraissait lutter. En le voyant, les deux hommes s'écartèrent. Célestin prit le jeune homme dans ses bras et l'étreignit longuement.

— Laisse-moi y aller, dit le garçon, je les entends qui appellent en bas.

A sa voix rauque et heurtée, je reconnus Julien, le fils aîné de Madeleine. Lui et son jeune frère avaient échappé au drame, parce qu'ils se trouvaient chez leur tante quand le pan de castine avait emporté leur maison.

Je n'entendais pas ce que lui disait Célestin, mais une rafale de vent porta une phrase hurlée par l'adolescent :

— Non, tu n'es pas mon vrai père ! Mon vrai père, c'était Ferdinand. Toi, tu es parti à la guerre et tu es resté aussi longtemps que tu as pu... Et maintenant, je n'ai plus personne.

Une main noueuse me tira en arrière. Je fus plaqué contre les vêtements mouillés de la vieille Marie-Louise, la sœur de Ferdinand, qui voulait m'éloigner. Je me débattis ; je voulais entendre la suite de leur conversation. Plus tard, ayant dû renoncer à regagner Vayrac de nuit, nous avons, Célestin et moi, partagé l'unique chambre de l'auberge. Mon père, qui m'entendait me retourner dans mon lit, et pleurer sans oser rien demander, me dit avec la voix brusque qu'il avait lorsqu'il était pris en faute :

— Ben oui, Madeleine et moi nous avons été fiancés avant que je parte à la guerre... Je crois bien que je suis le père de Julien.

Le même jour, je venais de découvrir l'existence du fils aîné de mon père et d'apprendre l'arrivée prochaine d'un « vrai » petit frère.

Comme chaque fois que je me sentais perturbé, il me fallut prendre de la hauteur, monter au Puy d'Issolud. C'est pourquoi, le surlendemain, nous avons grimpé cueillir du houx au sommet du vieil oppidum. Dans l'étroit boyau entre les falaises, où seules les aubépines assuraient une prise, Robert, le plus costaud, dut tirer mon frère Rique, qui avait eu du mal à se hisser. Parvenus sous la coquille sonore du rocher de Lembard, nous avons été saisis par la beauté tragique de l'inondation. Les lacs, étincelants sous le soleil de septembre, étaient parcourus de grandes barques amenant les riverains au ravitaillement. Ces jonques qui dérivaient nonchalamment étaient des toits de fermes posés sur l'eau.

4

L'urgence commandait, et pour tous, ce fut un puissant dérivatif. La crue nous avait coupés de tout ravitaillement en farine des grandes minoteries, celle-ci voyageant par chemin de fer, et il avait fallu se résoudre à mélanger aux farines de blé, dont le stock s'épuisait, du seigle et même de l'avoine.

Désolé par la vue de sa cambuse vide, où couraient des rats maigres, Célestin s'était décidé à aller demander du blé à Victorien Sansoul, un meunier de la vallée qui faisait un peu de pain, et se trouvait donc être un concurrent, que l'on estimait mais qu'on fréquentait peu. En ces années de crise, le moulin de Sansoul connaissait une prospérité nouvelle. Beaucoup de paysans portaient au vieux moulin du blé de qualité médiocre, dont ils récupéraient la farine afin de cuire eux-mêmes leur pain.

Si les paysans entassaient leurs sacs rapiécés dans la cour du petit moulin, c'est parce que Sansoul était la « deuxième chance des blés ». Chez lui, pas de déchargement dans la rue pour examen de qualité. Qu'ils fussent rouillés, dévorés de charbon, truffés d'ail sauvage, rongés par les punaises, tous les blés venaient faire carrière dans ses trémies, où de savants mélanges extrayaient une farine à peine panifiable. Tant que ces grains ne servaient qu'à « l'échange » local entre paysan et meunier, les autorités fermaient les yeux. En revanche, dès qu'intervenait un boulanger patenté, les « Indirectes » — les contributions indirectes — veillaient et exigeaient de la farine qu'elle soit « saine, loyale et marchande ». Mon père savait cela, et il était conscient des risques encourus. Sans la pénurie de farine provoquée par l'inondation, il ne se serait jamais approvisionné chez Sansoul.

Lorsque Artaban s'arrêta dans la cour, nous avons vu, avec satisfaction, que les pales du minuscule moulin tournaient. Sansoul était venu à nous, traînant ses sabots de bois. Il nous observait, les yeux à l'abri sous la pointe du béret.

Pour répondre aux félicitations de mon père, car le moulin était le seul de la vallée à s'être remis en activité, Victorien dit d'une voix neutre :

— Ça marche même beaucoup trop vite. La roue est vermoulue... A cette vitesse, la Tourmente risque de me l'emporter.

La Tourmente est le petit affluent de la Dordogne qui faisait tourner son moulin.

Puis, traversant la cour encombrée de sacs mis à sécher sur une pile de planches de châtaignier, il montra les traces boueuses sur les peupliers, signe que la décrue était bien entamée.

Mon père prit Victorien par le bras et l'amena vers l'ensachage où se démenaient deux silhouettes blanches. La meule, là-haut, secouait tout le moulin. Le bruit était devenu fracas, et un rideau de poussière grise tombait du plafond.

Hurlant presque, mon père dit au meunier :

— Victorien, il me faut vingt sacs, d'ici une semaine.

L'œil rond et noir du petit homme s'écarquilla. Il cria :

— C'est que je la dois aux paysans, cette farine, moi !

Célestin plongea la main sous le caisson, en retira une poignée de farine fraîchement écrasée, et reprit en la mettant sous les yeux de Sansoul :

— Je rachète la farine au double du cours, et en prime, je peux te faire obtenir le contingent de mouture de Pivert. Avoue que ça te plairait de pouvoir moudre autre chose que cette poussière à punaises.

Avant que le meunier ne puisse répondre, une voiture noire pénétra dans la cour, levant des gerbes marron frangées de blanc. Deux hommes en descendirent : un grand au teint rouge et un petit l'air renfrogné, figure jaune sous son grand chapeau italien.

— C'est les « Indirectes », souffla Victorien, la figure décomposée.

Les deux individus descendirent de la voiture, et vinrent à nous d'un pas assuré.

Le petit bilieux nous salua, soupçonneux, d'un « Bonjour messieurs ! » Il fit le tour de l'attelage et, avisant les éclats de croûtes qui parsemaient le char à banc, demanda à mon père d'une voix neutre :

— Vous êtes le boulanger de Vayrac ?

Comme mon père acquiesçait, l'autre enchaîna, sur le même ton :

— Vous venez peut-être vous servir chez M. Sansoul ?

— Non, monsieur, répondit mon père. Simple visite de voisin...

— Bien, bien, fit l'homme.

Puis, se tournant vers le meunier, et d'un ton nettement moins affable :

— Alors, monsieur Sansoul, toujours dans l'élevage des charançons ?

Il sortit de la poche de son manteau une sonde effilée à trois compartiments et, d'un coup sec du poignet, transperça la première balle de farine mise à sécher. Puis, retirant la sonde, il porta l'échantillon à son nez, froncé par un rictus, et dit, d'un ton cassant :

— Elle est cariée cette farine... L'odeur ne trompe pas ; je suis bien sûr qu'on va y trouver des plaques d'ail. Enfin, c'est le laboratoire qui nous le dira.

Mon père, muet jusque-là, regardait à la dérobée l'autre agent des « Indirectes ». Celui-ci s'exclama soudain :

— Mais... c'est Célestin !

A mon grand étonnement, mon père et ce grand gaillard tombèrent dans les bras l'un de l'autre. De leur conversation animée, je compris que cet homme, natif de Corrèze, était un ancien boulanger, qui avait fait son apprentissage à Saint-Flour, dans la boulangerie où Célestin avait lui-même débuté.

Les deux hommes ne s'étaient pas vus depuis vingt-cinq ans, mais le contrôleur avait gardé le meilleur souvenir de mon père, qui, plus âgé de dix ans, avait été son tuteur. Par la suite, Jean Blavignac — c'était son nom — avait tenté de s'établir à son compte, mais des ennuis de santé l'avaient contraint à y renoncer. Passé le moment des effusions, mon père lui dit :

— Ainsi, tu es passé de l'autre côté ?

— On mange du pain tous les jours, même si on ne peut plus le fabriquer, répondit l'homme, dont le visage rayonnait de la joie d'avoir retrouvé un témoin de sa jeunesse.

» Heureusement, ajouta-t-il, les impôts embauchaient des intermittents... Mais parle-moi de toi. Te souviens-tu des loups de la Margeride ?

Les petits yeux bridés de mon père brillaient de plaisir. Sur un ton enjoué, il dit au rouquin :

— Tu étais tout pâle, avec ton casque rouge. Tu semblais un renardeau qui pointe son museau.

— Tu me frottais le visage avec de la repasse, pour que les chasseurs ne me repèrent pas, fit l'homme en riant.

Puis, son ton devint plus grave :

— Tu étais tellement fort... Te souviens-tu que le patron... Comment s'appelait-il déjà ?

— Busserol, dit mon père.

— Ah ! oui, le vieux Busserol... Il te prêtait à tous ses collègues de Saint-Flour, pour grimper les sacs au noir dans les greniers.

Mon père souriait toujours. Sans savoir pourquoi, je sentis mon admiration redoubler. Il poursuivit sur le même ton badin :

— Oh ! tu sais, j'en ai même grimpé dans le clocher d'une église, chez le boulanger de Saint-Loup. C'était une chapelle désaffectée, au milieu de la lande, et quand j'arrivais en haut du colimaçon, les hiboux me crachaient au visage.

Les deux hommes se turent un instant, puis mon père, plus bas, presque chuchotant, comme si sa voix se fut soudain écaillée sous le salpêtre du temps, soupira :

— Aujourd'hui, c'est plus pareil. Je suis patron. J'ai deux enfants à élever, bientôt trois. Alors... Tout ça, c'est bien fini. Je préférerais me louer comme journalier que de risquer la prison.

Le changement du timbre de voix avait vieilli, et comme alourdi, Célestin. Du jeune colosse fraudeur et braconnier de l'époque de Saint-Flour, il paraissait soudain ne rester que cette lueur aux coins des yeux bridés.

C'est à cause de ces jeux de physionomie que je comprendrai, quelques années plus tard, pourquoi, au village, on le comparait à Raimu, ce grand acteur dont il avait la rondeur, le timbre de voix et certaines mimiques. Je l'admirais d'autant plus, en ce moment, que je savais que les « Indirectes », en perquisitionnant chez nous, auraient trouvé dans la « chambre du fantôme » : un alignement de balles de farines bien calibrées qu'aucun registre n'accueillerait jamais dans ses colonnes, et qui ne s'acquitteraient donc jamais d'impôt.

Une voix sèche me tira de ma rêverie :

— Et cela, monsieur, si ça n'est pas une plaque d'ail, qu'est-ce donc, que je viens de prélever sur votre surface d'écrasement ?

Le petit contrôleur au chapeau italien montrait une boule grisâtre, qu'il venait de recueillir dans un petit pot de verre. Le meunier le suivait, le visage dévoré de tics. C'était la première fois que je lisais une émotion sous l'auvent du béret de Sansoul. Il bredouillait :

— Si vous croyez que je peux m'équiper d'une trieuse à ail, comme dans les minoteries...

— Vous n'avez qu'à gratter l'ail au racloir, après chaque passage de meule, rétorqua le fonctionnaire. Nous reviendrons avec les résultats des analyses, et nous fermerons le moulin, s'il le faut.

Le grand Blavignac avait cessé de rire. Je compris qu'il était le subordonné du petit homme hépatique. Sans un mot, ils remontèrent dans la voiture noire qui sortit de la cour du moulin en soulevant les gerbes jaunes du cloaque à Sansoul.

Je me demandais si j'avais rêvé. L'apprenti de la Margeride était-il vraiment devenu, en un éclair, cet homme au visage figé qui nous avait quittés sans un mot, dès que son chef était réapparu ?

Quelques jours plus tard, comme la décrue était presque terminée, les voies de circulation se rétablissaient et la vie reprit son cours dans la vallée.

C'était un dimanche matin. Je me trouvais au tour avec mon père, un peu rasséréné. Je plongeais les mains dans la farine, qui croulait dans le pétrin. Tandis que je dégorgeais un vieux sac marqué « Moulin Victorien Sansoul », ma mère entra au fournil, criant pour couvrir le bruit des machines :

— Sansoul a eu le bras arraché par la meule !

Mon père, qui enfournait, tendit sa lame à Giuseppe, en lançant une bordée de jurons. Il sauta sur le vélo, sans sa vareuse, sans se soucier du chaud et froid, et pédala jusqu'au moulin.

Quand il revint en fin de matinée, il avait le visage défait et refusa de manger. Il marmonnait sans cesse :

— C'est de ma faute, je lui ai commandé une quantité trop grande pour son petit moulin. Mal équipé comme il est, il a pris des risques... Un meunier sans bras droit, que va-t-il devenir ? Lui qui était revenu intact de Verdun...

Puis il montra du poing « la chambre du fantôme », celle qui abritait les farines non déclarées, et conclut par cette phrase qui traduisait ses inquiétudes et peut-être ses remords :

— Mais aussi, les autres là-haut qui l'ont obligé à racler ses rouleaux... Si j'en attrape un tiens !

Emus par le malheur de Sansoul, les habitants de la vallée avaient bombardé de lettres l'autorité préfectorale. Etait-ce grâce à cette solidarité que le petit moulin ne fut pas fermé ? Ce qui est certain, c'est qu'alors le malheur n'épargnait personne. La grande dépression économique éprouvait profondément toute la filière du blé dans notre vallée. Des relations nouvelles, marquées par la crise, s'étaient ébauchées entre paysans, meuniers et boulangers. Les Poulzac avaient donné le ton. Dès l'aube, de son pas puissant, leur boulonnais faisait voler les pierres du chemin menant au moulin de Sansoul. Une fois leurs longs sacs de toile grise à rayures rouges hissés jusqu'aux trémies, ils s'installaient pour surveiller la mouture. L'un des deux frères restait près de la meule, l'autre au débouché du caisson, à l'ensachage. Les yeux clairs des Poulzac semblaient avoir usé leur couleur à scruter les sillons. C'est du moins ce que l'on prétendait au village, où les deux hommes étaient surnommés « les Gaulois ». Il faut dire que leur grand-père avait un jour trouvé sous l'araire une pièce d'or à l'effigie de Jules César. Le bruit courait que, depuis lors, tous les hommes de cette famille avaient l'air halluciné, à force de fixer du regard la terre retournée par leur charrue. Au fond de leur cœur, les Poulzac entretenaient, avec une opiniâtreté qui les dévorait, le rêve de tout petit Vayracois : trouver le « veau d'or », le trésor mythique des guerriers gaulois. Le « veau d'or » était supposé avoir été enfoui sous cette butte. Mais la vraie richesse de la terre du plateau était bien ce blé d'une qualité exceptionnelle, due à l'exposition très favorable des champs. C'est pourquoi les deux « Gaulois » épiaient l'écrasement, craignant que le meunier ne se livre à quelques panachages, avec d'autres grains de moindre qualité.

Et tous firent de même. Les familles paysannes vinrent porter le blé, assister aux opérations en pique-niquant au milieu des poules. Pendant ce temps, les enfants pêchaient dans l'eau du bief où la Tourmente avait repris sa verte limpidité.

Mes parents, eux aussi, durent s'adapter à la crise. Les années folles étaient bien mortes, elles avaient laissé un vestige : la belle Renault qui moisissait doucement sous sa bâche tapissée de fientes de martinets.

Nous sommes devenus mi-paysans mi-artisans. Mon frère et moi gardions les dix vaches dans les pâtures voisines. Comme beaucoup de cultivateurs avaient pris l'habitude de « cuire » eux-mêmes leur pain, il fallut bien se résoudre à replier l'activité boulangère — et un peu pâtissière — sur le bourg. Cependant, à l'intention de ceux qui avaient du grain mais pas de four, deux fournées par nuit furent consacrées à « cuire » la pâte qu'ils nous apportaient les mardi et vendredi, boursouflée dans son grand panier de seigle tressé. Ces jours-là, il fallait bourrer le foyer du four avec des sarments de vigne, des copeaux, de la sciure, des genévriers du Causse : nous utilisions du bois bon marché, car on ne gagnait presque rien à cette activité. Le métier se trouvait amputé de sa part la plus noble : il n'y avait plus de pâte à préparer, plus de dosage subtil de farine, plus de soin vigilant apporté au brassage du pétrin. Le façonnage, le travail sensuel des mains sculptant la chair du pain n'avaient plus cours ces nuits-là.

Les Poulzac, qui n'avaient pas de four de ferme, avaient pris l'habitude de venir cuire chez nous. Ils nous apportaient d'énormes paniers, dans lesquels tremblotait une pâte blanche. Craignant mon père, et n'osant pas demander à assister à la cuisson, ils se contentaient de déposer, au fond des paniers, une clé servant à ouvrir les boîtes de sardines à l'huile. Lorsque Giuseppe retournait la tourte sur la pelle d'enfournement, la clé apparaissait sur l'arrondi du pain. Elle cuisait avec celui-ci. Les Poulzac avaient ainsi la certitude que le pain qui leur était rendu était bien le leur, fabriqué avec leur propre farine et produit avec le blé de leur champ.

Une économie de subsistance se mettait en place, signe des périodes de crise économique profonde. Comme le meunier, nous étions victimes d'un temps où chacun se méfiait de tous.

A cause de la mévente du pain, mon père avait dû limiter ses tournées. Parvenu au bas du Crouzouli, il regardait les bosses du Causse, bien au-delà de l'éperon calcaire. Il soupirait, relevait sa casquette et, d'une voix rude, faisait faire volte-face au cheval. Il souffrait de laisser sans pain les vieilles du Causse et ses compagnons mutilés. L'avance du pain, d'une moisson sur l'autre, ne pouvait plus être compensée par ce blé, dévalorisé et de qualité médiocre.

Pendant toute cette période, Amélie fit preuve de ses capacités d'adaptation. Elle avait appris à baratter et, comme nous élevions une dizaine de vaches, mit à profit leur lait pour initier une activité pâtissière qui draina un peu plus chez nous la clientèle du « quartier haut ». Quand le curé déposait l'enveloppe du denier du culte, elle ne manquait d'ailleurs jamais de faire preuve de largesse. Sans être pratiquante, elle entretenait de bonnes relations avec les « familles en ardoises », dont les demeures cossues environnaient l'église.

5

Par chance, l'été 1932, qui suivit l'automne des inondations, fut très ensoleillé. Comme pour nous dédommager des souffrances engendrées par la crise, août s'épuisait en beautés. Les goûts personnels de mon père le portaient vers la campagne et il ne détestait pas festoyer. La fête riveraine à Floirac était pour lui l'occasion de rencontrer les « caussetiers ». Ceux-ci étaient presque tous demeurés ses amis, même si la crise les avait conduits à cuire leur pain eux-mêmes. Mon père savait qu'au premier retour de fortune, ils redeviendraient des clients.

Cette année-là, ma mère avait une excellente raison pour ne pas nous accompagner : elle arrivait au terme de sa grossesse, et il aurait été imprudent qu'elle s'exposât aux chemins poudreux et cahotants sur les galets de la Dordogne.

Je nous revois : nous prenons place parmi les villageois et les caussetiers, dans l'ombre pulpeuse des arbres roux. C'est l'heure où les chênes s'assoupissent dans le bleu du soir. Les arbres semblent enlacés par le coude de la rivière. Les gens assis aux tables voisines veulent que Célestin chante le *Credo du paysan* qui, l'année précédente, a si bien résonné dans le cirque rocheux. Il se récuse :

— Il y a assez de belles voix à Montvalent, et je dois me réserver pour le baptême.

Façon d'annoncer à la cantonade, pour qui l'ignorerait encore, l'arrivée prochaine du troisième enfant. Il se rassoit, le visage baignant dans la lumière emmiellée.

Les claquements secs des sabots scandent les accords de bourrée sur le plancher de bois. Les échos renvoyés par la falaise proche brouillent la mélodie. Il me semble que la sarabande naît des roches sévères.

L'accordéon s'est tu. Je me laisse envahir par les bruits d'eau tout proches. Silhouettes menues posées sur l'eau, les pêcheurs, sur la rive opposée, lancent un crin qui irise, comme une minuscule toile d'araignée, sous les rayons du soleil expirant. Parfois, le ventre blanc d'un poisson luit au-dessus d'un fil invisible et se trémousse au son de l'accordéon que des voix impérieuses ont fait repartir.

Un homme se penche soudain au-dessus de mon père, et lui dit quelque chose à mi-voix. Mon père me secoue le bras :

— Cyprien, arrête de rêver... Il faut partir ! Appelle ton frère, et venez tout de suite.

Nous filons sans même prendre congé, Rique toujours en arrière, jusqu'au chariot où Artaban dételé patiente en broutant.

A peine installés sur le banc, mon père nous lance joyeusement :

— Vous avez un petit frère, on ne l'attendait pas si tôt.

J'ai le souvenir de m'être rembruni. J'aurais voulu une sœur. Il me semblait que notre maison manquait de femmes.

Le soir tombait quand l'attelage aborda la longue ligne droite ; le pas du cheval, jusque-là honnête et rond, devint heurté, puis il s'arrêta devant le chemin qui menait au village. Artaban sentait l'orage d'été, celui qui vient si vite.

— Hooo ! vieille carne, tu ne vas pas me la jouer celle-là..., s'écria mon père d'une voix impatiente.

Un coup de fouet inattendu claqua sur la croupe. La bête se cabra, comme si elle désignait, du sabot, les racines jaunes de la foudre qui sautait le long des roches bordant la route. L'air mauve, levé en nappes rageuses, apportait des bouffées d'accordéon. De nouveau, le doigt branchu de l'éclair pointa le creux où le fleuve échappait, sous Montvalent, aux mâchoires d'âne des falaises.

Rique et moi, assis à l'envers sur la banquette, jouions à « montrer ». C'était à qui repérerait le premier l'endroit que nous venions de quitter, tapi dans un vallon ou perché sur une colline.

Un deuxième coup de fouet claqua et le cheval partit furieusement au galop. Apeurés par les cris de Célestin, nous nous étions retournés et nous cramponnions. Le village approchait à toute vitesse. Mon père continuait de hurler et de scier la bouche d'Artaban, et soudain ce qu'il redoutait se produisit : l'animal aperçut, à droite, la grange où on lui faisait parfois prendre refuge sous l'orage. Artaban freina des quatre fers et, dans une gerbe d'étincelles, dérapa.

Le chariot se retourna comme une barque prise par les flots et nous nous sommes tous trois retrouvés dans un fossé qui sentait la prune et l'herbe mouillée. Par bonheur, personne n'eut de mal, sauf le chariot que nous avons dû laisser sur le dos. Le reste de la route s'est fait sur le cheval, mon frère et moi enlacés par la rude poigne paternelle. Artaban, calmé par le contact de nos jambes, encensa jusqu'à la maison, comme un cheval de cirque.

Tandis que mon père attachait le cheval, nous nous sommes précipités, ruisselants, vers la maison. Nous avons timidement poussé la porte de la grande chambre parentale. Ma mère, le teint couleur farine, les cheveux défaits, éparpillés sur son oreiller, mais le menton digne et l'œil toujours impérieux, chuchota :

— Regardez-le et ne faites pas de bruit. N'est-il pas mignon... c'est un petit cacalou...

Mon père entra à son tour dans la chambre et annonça :

— Il s'appelle René.

Pas de doute c'était un garçon. Dissimulant notre déception, nous avons traversé la route pour nous faire consoler, comme chaque fois, par Albertine, qui nous dit :

— Si vous voulez une petite sœur, je vous prêterai la Jeannette.

La semaine suivante, c'est l'aube et je participe aux côtés de Célestin à ma première moisson. Tout le hameau de La Martinie s'entraide pour mettre à l'abri le grain menacé par les orages qui se succèdent, violents et soudains. Dès quatre heures du matin, nous sommes au travail, éclairés seulement par la pleine lune et les étoiles, dont certaines soulèvent, en fusant, des exclamations sur les pentes obscures. Nous sommes nombreux dans les champs bossus. D'une colline à l'autre, les moteurs des batteuses se font écho, dans l'air bleu sucré des vents du sud. J'aide à alimenter les réservoirs de la machine en seaux d'eau fraîche puisée à la rivière proche, occupation qui laisse du temps pour la rêverie. Le fermier, touchant ma main, me dit en français :

— Que voilà une douce main de boulanger !

Tous éclatent de rire. Je suis las de les entendre s'apostropher en patois, d'un pli de terre à l'autre. Cette langue gutturale, mélopée féminine des tournées, n'est plus pour moi. J'envie Célestin de pouvoir parler sa langue natale, sans chercher ses mots, tout en chargeant les sacs. Lors des courtes pauses, je l'ai même entendu chantonner des bourrées avec ses compagnons de travail. Une femme aux cheveux sombres, dont les yeux accrochent des paillettes de lune, est serrée par un escogriffe qui la chatouille sans vergogne.

Moi, j'observe la nature de nuit, immense, intimidante. Griffant parfois la lune rousse, l'ellipse des chauves-souris balafre l'air autour de nous. Les grands bœufs déplacent, dans un bruit de joug malmené, leurs lourdes masses qui assombrissent l'aube.

Soufflant un instant, en attendant mon tour pour jeter l'eau fraîche au réservoir, je regarde vers mon village. Tapi derrière la troisième colline, se devine la masse improbable du clocher, d'où cinq battues de cloche sont venues mourir jusqu'à nous. Ma mère dort là-bas avec le bébé.

Cette pensée me tord le cœur. Le petit frère aux yeux bleus a capté tout le peu d'affection qu'elle nous témoignait, à Rique et à moi. Je ressens soudain la fatigue et la douleur des seaux qui me scient la main. La moisson n'est pas du tout ce que j'avais imaginé, et le ratissage de nuit m'apparaît comme le châtiment infligé aux grandes bêtes bossues pendant leur sommeil.

Dans le halo blanc du fanal, les têtes dures des épis roulent, puis tombent dans la bouche sombre de la batteuse. Herborisant avec l'école, le mois précédent, je me suis pris d'affection pour ces herbes folles et ces graminées sauvages qui peuplent le champ de blé : les luzernes, les doliques, les chien-

dents, les rosiers des chiens, l'ail sauvage, la sapo-
naire. J'entends monter de la tonte nocturne le sanglot d'ombre des ivraies.

— A quoi rêves-tu, Cyprien ? me demande doucement mon père.

Je lui ai répondu, pour ne pas lui faire de peine :

— A rien... Je trouve bête de couper toutes ces
belles herbes. Je suis sûr qu'on ne trouvera même
plus de coquelicots en faisant la tournée, pour les
rapporter à maman et au bébé.

— Nigaud, dit-il, en me secouant affectueusement le bras, il faut bien couper tout ça, si tu veux
qu'on puisse faire du pain avec le blé.

Je le sais bien, mais ce métier, décidément, ne
pourra jamais être le mien. J'ai besoin d'un toit sur
ma tête : dans la cale rouge de la boulangerie, je
suis chez moi, auprès des flammes de la voûte du
four, bercé du sommeil des gens du « quartier bas ».
Ici, tout est trop grand. Tout ce poids de ciel noir,
défait par l'aube qui pointe déjà, soudain m'écrase.

Comme je redescendais la pente vers la Dordogne, pour remplir à nouveau mes seaux, j'entendis des chuchotements. Sous la fouille du vent léger,
deux corps nus étaient agenouillés dans l'herbe... Je
reconnus la flamme noire des cheveux de la jeune
femme qui, lors de la pause, prenait tant de plaisir
à se défendre sous la main leste du grand moisson-
neur. Et en remontant mes seaux, j'aperçus deux silhouettes enlacées, dont les soupirs étaient aspirés
par le bruit de la moissonneuse.

Une main sur mon épaule me fit tressaillir. C'était
Célestin.

— Tu en as mis du temps pour ramener ces
seaux. La machine pouvait exploser... Tu es vraiment trop rêveur.

Billoux, qui liait à quelques pas de là, dit d'une voix d'homme des champs qui porta dans la nuit :

— Il a dû s'endormir au bord de l'eau.

Puis, s'adressant à moi, sur un ton moqueur :

— Si tu fais pareil au fournil, tu tomberas dans ton pétrin.

Les hommes demi-nus, luisant de transpiration dans la lueur de l'aube, éclatèrent de rire. Puis, des propos en patois fusèrent, rapides. Ils furent interrompus par les protestations d'une vieille essoufflée, qui lança aux moissonneurs un mot de commisération à mon égard : « *Lou paouvro.* » Les lazzi se turent, sans effacer mon humiliation.

— Si tu es fatigué, dit mon père, tu n'as qu'à rentrer. On n'est qu'à trois kilomètres, tu connais la route.

Il me désignait le clocher qui émergeait des voiles blanches de l'aurore. Il ne s'en est jamais rendu compte, mais il me sembla qu'à ce moment-là, mon père me chassait du pays natal.

Je redescendis à Vayrac, sous la lune dépenaillée. Sur les champs, blêmes de rosée, montaient les murmures de l'aube. Je sifflotais pour oublier ma peine. Un âne barytonnait ses deux notes dans la plaine. L'été reniflait l'humiliation des éteules, des chaumes clairs. C'était comme un lendemain de bataille. A perte de vue, je distinguais des restes d'épis fracassés, sous le vol querelleur des corbeaux et des pies.

J'ai traîné ma matinée, la tête vide à cause du manque de sommeil, bourdonnante du bruit de la moissonneuse, et puis, sur le conseil de Giuseppe, je suis allé prendre un peu de repos au fenil pour ne pas éveiller le bébé. A mon réveil, la fantaisie me prit de jouer avec le briquet. De minuscules flammèches crépitèrent instantanément sur le foin sec. J'étouffai vivement, de mes mains, le pétillement minuscule. Puis j'eus une envie subite de feu. Une envie de brasier comme celui qui dévorait les genévriers sous la voûte du fournil, d'où Giuseppe m'avait un peu rudement chassé. Avisant une fenêtre du fenil à demi descellée, je la sortis de son gond unique et la posai sur le foin pour contenir un éventuel débordement des flammes. Le crépitement reprit. Je le laissai courir un peu, jusqu'à ce qu'une touffe de foin plus épaisse se transformât en une flamme vive, qui monta à un bon mètre de haut. Prenant conscience du danger, je me précipitai alors sur le panneau de bois et le rabattis sur le feu qui finit par s'étouffer en petites fumées âcres.

Je m'épongeai le front, le cœur battant. Je craignais que ma mère, de la fenêtre de sa chambre, n'ait vu les flammes. Je descendis précipitamment l'échelle du fenil, ratai un barreau et me reçus mal sur le sol. J'arrivai au fournil où ma mère remplissait un chariot de pain. Elle remarqua aussitôt mon air bizarre, et mon boitillement.

— Cyprien, d'où viens-tu ? me demanda-t-elle d'un air soupçonneux.

Je n'eus pas le temps de répondre. La porte du fournil s'ouvrit sur la vieille Maria, dont la cour était attenante au fenil ; elle avait le visage à l'envers.

— Amélie ! tu as le feu à ta grange ! cria-t-elle d'une voix blanche.

Des lueurs rougeoyaient au travers de la lucarne. Amélie se précipita dehors, les commis sur ses pas. Déjà, la sirène des pompiers jetait son hurlement funèbre.

Ma mère ordonna qu'on aille chercher Robert, le fils d'Albertine, et Gustave le tonnelier qui avait servi dans le Génie. Ayant bondi d'un feu à l'autre, Broussie, le forgeron d'en face, était là. On descendit des seaux au fond du puits, dont l'eau croupissait, comme chaque été.

J'étais médusé, la tête vide, incapable de détacher

mon regard de la beauté du brasier qui dévorait le foin sec. Soudain, dans le vacarme général, on entendit des hennissements. Je crus un instant qu'ils venaient de la forge d'en face, mais un bruit de bois fracassé m'ôta tout espoir. C'était bien Artaban qui démolissait sa stalle en appelant au secours.

Le puits ne pouvant fournir assez d'eau pour venir à bout de l'incendie, le capitaine des pompiers fit dérouler jusqu'à la Sourdoire ses immenses tuyaux de toile grise.

Ma mère, étonnamment maîtresse d'elle-même, ordonna de libérer les vaches du garage, exposé au brasier. Les pauvres bêtes meuglaient à la mort. Elles sortirent en se bousculant et se râpant l'abdomen contre les rebords de moellons.

Déjà, poussée par le vent d'ouest, l'énorme brassée de flammes léchait le toit de la grange. Vomies par le souffle jaune, des braises noires crépitaient en haut des platanes. Les vaches, traînant leurs entraves de bois, beuglaient en courant, sur la route du carrefour. Leur ventre se balançait. Elles couraient parmi les camions à claire-voie qui emportaient leurs congénères à l'abattoir. Le bruit de claquettes de leurs sabots, martelant l'asphalte, faisait un contraste dérisoire avec l'épouvante du concert des mugissements. Artaban continuait ses ruades. Au travers de l'air en fusion, je distinguais une longue fissure dans la porte du fenil. A présent, les lances des pompiers donnaient à plein. A voir l'eau ruisselant le long des vieilles boiseries, une bouffée d'espoir me revint.

Je me précipitai, malgré la gifle de feu. Négligeant les cris des pompiers, je parvins au loquet que je soulevai. Une odeur de fumée, de chair et de crinière roussie, me prit alors à la gorge. Artaban gisait, les flancs soulevés par une houle pathétique. L'une de ses pattes arrière, agitées de convulsions, traînait comme un morceau de bois sanguinolent. J'ai entendu crier :

— Sortez le cheval et le gosse, le toit va s'effondrer !

Le pauvre animal fut tracté par des cordes. Six hommes tiraient par saccades. Son grand corps parvint au milieu de la cour, laissant un large sillage rouge et luisant. L'incendie avait dévoré tout le foin. A présent, sous le déluge des lances, son intensité décroissait. Je ne voyais ni n'entendais rien de ce qui m'environnait. J'étais cramponné au reste de la crinière de mon cheval. Je revoyais le poulain vigoureux qui m'avait ranimé en léchant mon visage, le jour où, le montant à cru, j'étais tombé, ma tête heurtant une pierre du chemin.

Sa langue pendait, bleuâtre, entre ses dents jaunes. Déjà vitreux, ses yeux emportaient dans leur mystère une part de ma vie. Ma mère, chignon défait, marmonnait au-dessus de moi :

— Quelle malédiction, cet enfant est né sous le signe du feu... La maison aurait pu brûler, comme en 1923... Qu'est-ce qu'on va faire de lui ?

Elle leva les yeux vers le ciel, où des restes de lucioles noires retombaient parmi le vol furtif des martinets qui avaient déjà repris leur ballet autour du hangar.

J'étais encore agrippé à la carcasse d'Artaban, quand mon père se planta devant moi, rouge de sueur, des poussières vertes parsemant son visage et ses bras nus. D'un bond, je me dressai au-dessus du corps d'Artaban.

Giuseppe s'était approché de moi. Il m'avait mis une main sur l'épaule et me serrait contre lui, pour affronter avec moi la fureur de Célestin. Il dit à mon père :

— C'est ma faute, *commandante*. Tout ce qui est arrivé. Le petit, il n'y est pour rien. Il a voulu m'allumer le four, le bois fumait. Je l'ai renvoyé du four-

66

nil. Je lui ai dit qu'il ne savait même pas faire brûler du foin. J'ai été *bruto,* c'est ma faute.

Mon père paraissait hésiter sur la conduite à tenir. Il s'enfonça dans la fumée du fenil. Des poutres pointaient leurs chicots noirs dans le ciel aveuglant de luminosité. On entendit un bruit de bois traîné sur le sol de terre battue. La maie, le vieux pétrin de noyer massif où s'enchevêtraient des débris de bois, baignait dans l'eau. Il la tira au milieu de la cour, près d'Artaban. Il se baissa, fit voler les brandons, s'arc-bouta pour vider le meuble pesant. Puis, il s'accroupit au-dessus d'Artaban. J'ai vu des sillons de larmes sur ses joues maculées. J'ai éclaté en sanglots.

— Pardon, papa... C'était mon cheval ; c'est moi le plus puni.

Mon oncle Joseph fut le premier à rompre le silence qui suivit :

— Ça aurait pu être pire. Si le vent avait été à l'est comme hier, la maison aurait brûlé... Il faut voir ça.

Albertine me tenait serré contre elle. Ma mère nourricière, la femme qui m'avait recueilli bébé lors du premier incendie, parlait dans sa langue aux intonations familières. Cette mélopée corrézienne parut sur le point d'infléchir Célestin. Mais ma mère le prit à part et lui parla avec véhémence derrière le puits.

Mon père parut sortir d'un songe, retrouva sa voix de capitaine au long cours pour me dire :

— Suis-moi au fenil.

— Je ne recommencerai pas... J'ai compris ce que c'est le feu, hoquetai-je.

— Le pardon plus tard ! Le châtiment d'abord ! hurla mon père.

Un reste de lucidité me fit me demander si la sentence n'était pas extraite de Victor Hugo, dont il me récitait parfois des passages entiers des *Châtiments.* Puis, j'ai entendu le glissement de la ceinture de cuir qu'il ôtait. M'ayant fait me courber en avant, mains posées sur la maie, il me cingla, moins fort sûrement qu'il ne l'aurait pu. Pendant qu'il frappait, j'ai vite compris qu'il ahanait de façon exagérée. Le brave homme voulait donner à ma mère, seule à présent dans la cour, le sentiment qu'il m'infligeait, pour la première fois, un châtiment réellement exemplaire.

Déjà encline à redouter le caractère fantasque des hommes de la famille, ma mère accrut encore sa sévérité dans l'éducation de ses deux fils aînés. Après ce coup d'éclat, elle parla de ma fragilité psychologique, de l'hérédité de « Charrazac du Tonkin ». Elle était persuadée que mon grand-père, revenu alcoolique et violent des guerres coloniales, nous avait légué un lourd atavisme. Je surpris même des bribes de conversations où il était question du « chasse-cousin ». Il s'agissait d'un cépage dont le vin avait été beaucoup bu par les générations précédentes. Le « vin de Noa », traité à l'éther et interdit depuis, s'était révélé résistant au mildiou, mais ses consommateurs avaient longtemps peuplé l'hôpital psychiatrique de Tulle.

Mon père avait beau répondre qu'il ne fallait pas rechercher si loin dans le temps les clés de mon comportement, il se déchargea encore davantage sur Amélie du soin de notre éducation.

Celle-ci, ayant décrété que « l'oisiveté était la mère de tous les vices », fit en sorte, pour combattre ma nervosité et l'indolence de Rique, de nous occuper à chaque instant de notre vie.

Respectivement âgés de onze et neuf ans, Rique et moi avons dû prendre l'habitude de soigner les bêtes dès cinq heures du matin. Par ailleurs, afin de complaire à la clientèle pieuse et huppée du « quartier haut », Amélie accepta la demande que lui avait faite le curé Couderc et m'ordonna de me rendre tous les jours à la sortie de la messe de sept heures, pour vendre le journal de l'évêché. Ces corvées à accomplir avant de me rendre à l'école, qui commençait à huit heures, me révoltaient. Aussi pris-je rapidement l'habitude d'aller bourrer des exemplaires du pieux périodique les anfractuosités du vieux fort qui ceinturait l'hôtel de ville. Pour payer les journaux invendus au curé, je devais délester les tabliers de ma mère de la menue monnaie dont ils regorgeaient.

Et ce qui devait arriver arriva. Un matin de 1933, je revenais de soigner les bêtes, quand ma mère, qui disposait les pains sur les rayonnages du magasin, m'appela :

— Cyprien, viens voir ici, je te prie...

Le ton de sa voix ne présageait rien de bon. Amélie fulminait, ses yeux noirs avaient leur expression des mauvais jours.

— Peux-tu me dire où sont passées les pièces qui étaient dans mon tablier ? demanda-t-elle sèchement.

Se heurtant à un silence penaud, elle me secoua par les épaules.

— Tu nous voles maintenant, Cyprien ?

— C'était pour payer le journal du curé, balbutiai-je.

Les joues de ma mère s'empourprèrent. Elle alla fermer à clé la porte du magasin, me fit passer d'une bourrade dans la cuisine, puis dans la resserre attenante, et là, d'un geste brusque, elle répandit sur le sol la moitié d'un sac de coquilles de noix qui servaient à l'alimentation du foyer. Me prenant par les cheveux, elle me força à m'agenouiller sur les coquilles, dont les pointes écorchaient mes genoux nus.

— Tu vas rester comme ça jusqu'à l'heure d'aller à l'école, me dit-elle. A dix ans, déjà menteur et voleur. Votre père n'est pas assez sévère avec vous. Il est vrai que lorsqu'on a été drogué jusqu'à trente-trois ans dans les bouges de Roumanie... Je te trouverai une place en apprentissage pour l'année prochaine, conclut-elle brusquement.

Très vite, la souffrance était devenue intolérable. Après m'être assuré qu'Amélie était occupée au magasin, je me relevai. Cette maison n'était plus la mienne.

J'ai frotté furieusement mes genoux écorchés et j'ai filé par la porte donnant dans la cour.

Humilié et ivre de rage, je pris le vélo de Rique et m'élançai vers le plateau de Puy d'Arnac. J'allais chez « Anna la miséricordieuse », la mère de Célestin, ma grand-mère.

J'ai aperçu Louis Louradour qui déambulait au bord du chemin, malgré le froid. Il bredouillait comme à l'accoutumée. D'après les anciens, depuis 1917, il marmonnait sans discontinuer d'incompréhensibles choses. Dès qu'il me vit, il lança :

— *Ay vi pocha Célestin, é torna in permichiou.* (« J'ai vu passer Célestin, il est revenu en permission. »)

Je puisai au fond de moi un fond d'énergie pour accélérer en passant devant le vieil homme qui me faisait peur.

J'arrivai dans la cour de la ferme, la culotte trouée par un dérapage sur le verglas. J'avais glissé dans la terrible pente conduisant au hameau, d'où l'on découvrait les monts corréziens, noyés de brume hivernale.

Ma grand-mère était assise dans le cantou, en train de peler des châtaignes chaudes, disposées dans son tablier de coton noir. Quand je me fus assis dans la cheminée en face d'elle, cherchant ma respiration, elle comprit vite qu'il s'était passé quelque chose de grave. Après m'avoir écouté en silence, elle dit seulement, de sa voix rauque au débit saccadé de vieille Corrézienne habituée à parler le patois :

— Ne pleure plus, petit. Viens plutôt sur le banc, à côté de moi ; tu me passeras les châtaignes.

Elle me tendit la longue pince de métal noir qui lui servait à extraire les châtaignes chaudes de la poêle trouée, au-dessus des flammes, et je me serrai contre elle sur le petit bac de bois. A sentir son odeur de vieilles étoffes et de tison brûlé, il me prit une envie de pleurer. C'était des larmes de gratitude, car je savais qu'Anna allait trouver les mots pour m'aider à apaiser mon malheur.

Un long silence s'est établi, ponctué par les détonations des sarments. Des petites gerbes d'étincelles voletaient, aspirées par la hotte noire. Nous avons contemplé tous deux l'étagement des mastodontes corréziens, inscrits dans la lucarne de l'âtre. Les épaulements de la lointaine Auvergne se confondaient presque avec l'horizon. Le silence faisait partie du rituel de l'accueil des gens d'ici : dire vite ce qu'il y avait à dire avec les mots « d'en bas », et laisser se déployer de longues respirations de silence et de beauté.

Tout en lui passant les châtaignes chaudes, je regardais avidement ma grand-mère. Elle avait un front plissé sous des cheveux étonnamment noirs, plaqués en arrière. Ses pommettes étaient haut placées, comme celles de Célestin. Je la devinais préoccupée par mon histoire et soucieuse de m'apaiser. Lors de mon court récit, elle avait été touchée par la phrase d'Amélie sur les bouges de Roumanie. Je l'avais senti à sa façon de secouer nerveusement son tablier, pour en faire tomber les épluchures de châtaignes dans le feu.

Au bout d'un moment, elle se leva pour aller chercher dans son farinier la boîte à sucre dans laquelle

elle rangeait les vieux souvenirs qu'elle conservait précieusement.

Nous nous sommes assis à la lourde table de noyer. Nous étions près de la cheminée, là où le bois sombre portait des traces de coups de couteau. C'était autrefois la place de mon grand-père qui, les soirs d'ébriété, plantait son couteau devant lui à la moindre contrariété.

Ma grand-mère raviva la lampe à huile qui brûlait toute la journée, l'hiver, car la pièce était obscure. Puis, sous mes yeux émerveillés, Anna étala les cartes postales que mon père lui avait expédiées depuis l'armée d'Orient. On y voyait des femmes macédoniennes de Monastir, des femmes serbes en tenue traditionnelle. Une carte intitulée « Des types albanais » montrait, contre toute attente, des femmes fumant le narguilé. Sur une autre, on pouvait admirer une vue de Sofia, belle ville paisible aux immeubles haussmanniens. Anna s'attardait à contempler cette carte. C'était un rite auquel elle ne dérogeait jamais. Je savais pourquoi : au verso, daté du 1er février 1919, Célestin indiquait, après avoir donné des nouvelles de sa santé, « on ne peut meilleure », qu'il devait être rapatrié prochainement. Les yeux de la vieille femme s'éclairèrent lorsqu'elle me dit :

— Tu comprends, Cyprien, la paix était signée depuis trois mois. Cette carte m'a fait comprendre qu'il était bien logé. Ça me faisait du bien de savoir qu'il était dans un endroit civilisé, dans une ville. Il ne restait là-bas que pour garder des prisonniers bulgares...

Les brumes matinales s'étaient levées et dévoilaient le volcan face à sa fenêtre. Les pentes, vertes de sapins, laissaient émerger sur le sommet un arbre sans feuilles. Ma grand-mère soupira en disant, d'une voix où je perçus une secrète inquiétude :

— Enfin, je ne me faisais pas trop de bile pour lui, tant que je voyais son pivoul bien droit en face de ma fenêtre.

Trois cartes échappaient cependant au genre touristique. Elles représentaient Salonique en flammes. On y voyait des terrasses d'habitations orientales, à demi effondrées. La ville haute était dévorée par les flammes. La colorisation rudimentaire donnait au rougeoiement autour des minarets un caractère théâtral qui réjouissait chaque fois ma grand-mère :

— Tu vois bien, me dit-elle, que ton père il est allé là-bas griller les Turcos.

Pendant toutes ces années passées à contempler cette carte, avait-elle réalisé que les flammes, surajoutées par l'armée française, étaient l'œuvre scélérate des zeppelins allemands, qui avaient bombardé des populations civiles ? Probablement pas. Pas plus que moi, alors.

Puis, Anna s'attarda sur les traits poupins d'un berger bulgare. Le jeune homme, aux grosses joues, prenait la pose entre deux béliers, sur fond de mélèzes et d'herbes vert tendre. Elle me dit, de son ton le plus patient, son front aux rides soulignées par la flamme dansante :

— Vois dans quel pays de bandits il était, Célestin. Tu as déjà vu des bergers armés comme ça par ici ?

En effet, je ne doutais pas que son escopette au canon démesurément long et sa large ceinture portant un revolver à fine crosse et une immense dague fussent apparus incongrus sur les pentes corréziennes.

Reprenant la carte que je lui tendais, elle me dit, satisfaite de sa démonstration :

— Les autres Bulgares, ceux qui faisaient la guerre, il ne faut pas demander comment ils devaient être armés.

Puis, rangeant les cartes, elle ajouta, heureuse de me voir calmé :

— Tu sais, ton père, quand il était en apprentissage à Saint-Flour, il en a bavé, mais c'est quand même là qu'il est devenu un homme. Ça ne te ferait peut-être pas de mal d'aller apprendre le métier ailleurs. Et puis, tu verrais du pays, maintenant qu'il n'y a plus les guerres pour faire voyager les hommes...

Et ma grand-mère fit le signe de croix avant de sortir atteler. Nous sommes descendus au pas de sa mule, tandis que le maigre jour déclinait sur les pentes enneigées. Parvenus à la boulangerie, elle dit en patois, sans descendre de sa charrette, à ma mère qui balayait le trottoir :

— Ma bru, attention. Je vous rends cet enfant. Je ne suis pas sûre que vous les méritiez, vos fils et Célestin. En tout cas, que je ne sache pas que vous ayez battu celui-ci pour ce qu'il a fait aujourd'hui, sinon...

Elle avait brandi le fouet, tenu d'une main encore vigoureuse, et sans descendre de sa carriole, fouetté sa mule pour lui donner le signal du retour.

6

Grâce à l'intervention d'Anna la miséricordieuse, qui avait appris à relativiser les turpitudes et les faiblesses des hommes, je retrouvai une certaine sérénité. Bien sûr, je connus des accès de jalousie dévorante. Plus d'une fois, j'ai dû monter cacher mes sanglots au grenier, lorsque je voyais Amélie, visage rayonnant, s'asseoir sous la treille, dégrafer son corsage et fourrer son sein dans le gosier du nourrisson. Il m'arriva même, je crois, de pincer sournoisement le petit René, pour voir ses grands yeux bleus se brouiller de larmes et l'entendre hurler. Ses cris et ses larmes m'imprégnaient d'une allégresse douce-amère, comme le goût de la Salers ou la joie de surmonter ma peur quand je cueillais des crocus au bord du vide, sur l'extrême rebord du rocher de Lembard.

Et puis, le flacon de fiel finit par s'éventer et dissiper sa substance vénéneuse. Le bébé était devenu un petit frère que nous apprenions à aimer. Comme tous les gosses de boulangers, il courait à quatre pattes après les blattes. Il avait cessé de téter et m'appelait « Ci-en ». Rique, lui, était devenu

« Ique », le bambin ayant du mal avec les consonnes.

C'est à cette époque que je découvris les quartiers mal connus du haut village, grâce à l'école et à l'église.

L'école contribua beaucoup à me redonner ce bonheur d'enfant qui avait été assombri. Au troisième étage de la mairie, ma classe voguait en plein ciel. Nous habitions la hune d'un grand voilier, qui cinglait vers les alizés du savoir. J'étais curieux de tout, mais n'aurais rien appris si mon esprit n'avait pas été soulevé au-dessus du moutonnement des collines bleues, où miroitaient les méandres de la Dordogne.

Je faisais partie de ceux qui étaient partagés entre le goût des beautés rudes des verbes et des tables, et l'ivresse du spectacle de la foi, ses mélopées latines, les peintures bibliques monumentales qui parsemaient notre vieille église. Si je ne parvenais pas à croire, je ressentais de l'apaisement et parfois même une exaltation devant les œuvres de la foi d'autrui.

La place de l'église était le trait d'union entre le village haut et le « quartier bas ». Les jours de mariage, elle faisait sous nos yeux la fusion des œuvres de la République et d'un fonds plus ancien. Magnétisés par le son des cloches, nous nous massions aux fenêtres de la classe.

Monsieur le maire, qui venait d'officier avec bonhomie et quelques sous-entendus grivois, reconduisait les mariés et le cortège jusqu'au seuil de l'hôtel de ville. Puis, cet élu radical échangeait un petit signe de connivence avec le prêtre en chasuble, qui patientait à quelques mètres de là, sur le parvis de l'église.

Dans ces moments-là, le curé avait le maintien

grave et indulgent d'une mère de famille chargée de la garde des enfants, et qui les aurait confiés au père pour le week-end. Il savait que cette liesse du jour finirait à l'ombre de sa grande croix, sous les quatre cyprès du cimetière. Et quand il conduisait le cortège nuptial dans la travée sombre, d'où nous parvenaient les flots de l'harmonium, son pas avait la sérénité de l'éternité.

Il y avait, à proximité du village, un lieu vraiment magique. L'instituteur nous initia à la grandeur de ce site endormi, qui s'encadrait dans la fenêtre du milieu de la classe. Les soirs où l'orage menaçait, la gigantesque vasque paraissait posée sur le rebord de la fenêtre, tant l'air jauni sous les feulements de la foudre la rapprochait du village. Ce lieu, pesant sur le bourg de toute sa masse de roches et d'herbes, en était séparé par deux mille ans d'histoire. Au cours de cette lente dérive, nos ancêtres avaient quitté la sécurité de la colline pour occuper dans la plaine l'espace que leur laissait la Dordogne. Notre oppidum du Puy d'Issolud est un vieux puy immobile, dont les hommes ont hersé de très bonne heure le plateau de bonne terre à blé.

Instinctivement, nous ressentions le caractère presque sacré du Puy d'Issolud. Le haut fait d'armes qui s'y est déroulé a marqué la fin de la conquête des Gaules. C'était en 51 avant Jésus Christ. Jules César avait dû venir conclure le siège lui-même, en assoiffant guerriers et villageois, après avoir détourné le ruisseau qui irriguait la butte. Puis, le glorieux conquérant avait fait trancher le bras droit des cinq mille guerriers.

Ce n'est que l'année du certificat d'études, à l'âge de onze ans, que je fus initié par le maître d'école au déchiffrage des signes que l'histoire ancienne a déposés sur le village. Je compris alors le mot barbare qui figurait sur la pancarte de bois écaillé sur le chemin pierreux, parmi les vignes : Uxellodunum. En latin, c'est *la haute forteresse*.

J'appris aussi que la rue Luctérius, celle du grainetier derrière l'église, devait son nom à un valeureux lieutenant de Vercingétorix, revenu d'Alésia à la tête de cinq mille hommes avec qui il avait pris position sur cette butte. De même, la rue Drappès, dans le quartier du cimetière, perpétuait le souvenir d'un autre chef cadourque glorieux. Grâce à mon instituteur, M. Douste, les multiples vestiges gallo-romains, dormant sous des vitrines poussiéreuses, au premier étage de l'école, sont devenus pour nous de vieux souvenirs d'une très lointaine famille.

Je revois le maître, habillé de son éternel demi-hussard de velours. Cet enseignant communiste était un visionnaire de l'histoire. Combien de fois nous a-t-il assené sa sentence favorite :

— Vous vivez à l'ombre de l'endroit où la Gaule expirante jeta son dernier cri !

Puis, à la fin d'un long développement sur la lutte des Gaulois défendant colline après colline contre l'empire romain, il ajoutait, un peu rouge et le jabot de travers :

— Le temps de la résistance est devant nous... Ce n'est pas seulement de l'histoire ancienne !

Nous nous regardions médusés. Le maître poursuivait :

— L'empire va revenir, il faudra se battre de nouveau. En Allemagne ils viennent de donner les pleins pouvoirs à Hitler. Ils brûlent les livres sur les places publiques. Il ont même mis le feu à leur parlement !

Impressionné par les diatribes de M. Douste, mon esprit se livrait à toutes sortes de rêveries. Je savais, depuis longtemps, que s'agitait en Italie ce Néron à tête ronde, qui avait tué la sœur de Giuseppe et clamait en roulant ses gros yeux que « sa majesté le canon allait tonner ! »

En attendant, nous nous préparions à la résistance, en traquant dans les taillis les « revenants bleus » de la bataille d'Uxellodunum.

Sabrant les églantiers de nos glaives de bois, nous gardons l'œil fixé sur la haute forteresse. Jeunes guerriers cadourques, nous n'avons pas un regard pour le village, qui émerge au fur et à mesure de l'ascension. Nous sommes en 51 avant Jésus Christ. Nous nous préparons à vendre chèrement notre peau. Nos corps héroïques, d'avance criblés par les traits ennemis, tressaillent au moindre souffle d'air : un reflet matinal sur la toile d'une épeire nous jette au fossé, pantelants. Nous scrutons la rangée des cimiers, étincelants sous les aubépines. Ayant défait plusieurs cohortes, nous sommes tapis dans la grande cavité creusée jadis par la rivière. De ce lieu inspiré, dont le plateau peut accueillir une petite armée, nous avons jeté à la vallée des cris de victoire qui ont fait le tour de la butte, parcourant l'enfilade des falaises ivoirines. Portées par l'eau que l'on devine au loin, nos clameurs sont revenues se ranger sous la conque, augmentées du tumulte des voix du passé, assoupies depuis si longtemps dans leurs chairs de pierre.

Nous ne sommes plus ces six garnements, mais une armée de Cadourques portée par la ferveur de tout un peuple. Nous sommes issus de la même génération, ainsi que l'attestent les graffitis que nous déchiffrons avidement. Avant nous, d'autres ont gravé leurs noms le plus haut possible, sur le parchemin de la voûte. Sur la pointe des pieds, monté sur une pierre branlante, au risque de me rompre les os, je parviens à graver mes initiales sous l'inscription « Célestin Charrazac 1902 ». On peut la lire dans l'arrondi de la vasque, à deux bons mètres au-dessus du plus haut nid de corneilles.

Levant les yeux, il m'a semblé que la trace que je viens d'inscrire, mon *CL*, périlleusement et majestueusement paraphé, n'apparaît que comme la répétition des initiales de mon père. Le sentiment que les générations d'avant ont eu l'occasion de creuser un plus large sillon que le nôtre me poursuivra-t-il toujours ?

Hélas ! les adultes du village ont oublié ce fumet de gloire qui imprégnait les aubépines. Depuis qu'un certain Napoléon III, empereur des Français, s'était porté acquéreur d'une partie du plateau, peu de gens s'y étaient vraiment intéressés.

Seuls avaient fait exception à ce désintérêt les Poulzac, dont l'araire était l'instrument archéologique ordinaire. Les rudes cultivateurs du Puy n'étaient pas peu fiers d'être les voisins du champ d'un empereur, dont les descendants avaient pourtant laissé la ronce et le chiendent envahir de si bonnes terres à blé.

Si cette époque fut pour moi celle de la cicatrisation de certaines plaies, elle me révéla bien des laideurs du monde des adultes. L'année 1933 a été celle de l'arrêt de l'immigration en France. Mes parents avaient employé quelque temps un couple polonais. Lui coupait du bois pour chauffer le four ; sa femme ravaudait les chemises et les tabliers. Je savais qu'ils existaient, et leur fils avait quelque temps partagé mon banc à l'école, mais je n'ai jamais vu ces gens qui vivaient dans une cabane, au plus profond d'un bois appartenant à mes parents, en Corrèze. Lorsqu'ils ont été dénoncés, Célestin fut mis en demeure de conduire les gendarmes jusqu'au couple, sous peine de fermeture de la boulangerie. Leur fils, Krystoff, a été enlevé par une escouade armée, au fournil où nous jouions à la course aux cafards. J'ai vu dans le regard de l'enfant une détresse qui m'introduisit brutalement dans le monde des adultes. Mon père, accablé, nous a expliqué ce qu'il avait toujours su : le « bûcheron » polonais avait quitté Decazeville pour échapper à la reconduite à la frontière des mineurs d'origine étrangère.

La dureté de ce temps m'a fourni d'autres motifs d'indignation. L'école ne fut pas épargnée par la vilenie. Une maîtresse de l'école des filles, Mme Causson, venait le vendredi après-midi apprendre le chant à plusieurs classes. Nous répétions *La Marseillaise* en vue d'une fête républicaine que devait rehausser la présence du bel Anatole de Monzie, alors ministre de l'Education.

Nous étions soixante écoliers, entassés dans la même salle de classe, en cette journée chaude de fin de printemps. Intimidés par la présence des filles, la mixité étant exceptionnelle, nous redoutions, de plus, la maîtresse qui avait le coup de baguette facile à la moindre fausse note. Tout à coup, Mme Causson abattit violemment sa férule sur une table en hurlant :

— Arrêtez, il y en a un qui a fait dans ses culottes !

Elle marmonnait à présent, en arpentant les travées. Du côté des filles, sûres de leur bonne odeur de savon de Marseille, des fous rires avaient fusé. Humiliation collective des trente garçons, qui n'osaient se regarder. La maîtresse tremblait de rage. La peau flasque de son menton ballottait de droite à gauche. Elle monta sur l'estrade et cria :

— Que celui qui a fait se dénonce ! Je vous préviens, j'ai un odorat très développé !

Trois rangs devant moi, une petite silhouette se tassa. C'était Clovis Castagnet, le plus jeune enfant du couple qui avait péri lors des inondations dans le glissement de terrain de Mézels. Depuis le drame, le petit s'oubliait parfois en classe. L'enfant était sujet à des crises de catalepsie, accompagnées de pertes d'urine. Quand cela lui arrivait, M. Douste le faisait raccompagner chez lui par un petit voisin.

Mourillon, le cancre aux yeux jaunes, morve au coin du nez, fit un signe à la maîtresse en désignant Clovis. Mon copain Robert hurla :

— Mourillon, salopard ! Pour une fois que ça n'est pas toi qui as pissé !

Mais déjà la maîtresse poussait le petit Castagnet du bout de sa longue verge. Pinçant ostensiblement son nez de sa main gauche, elle conduisait l'enfant comme elle eût fait d'un animal débusqué.

— C'est lui qui pue ! jubilait-elle. Je suis sûre que c'est lui qui s'est oublié !

Toute la classe avait fait silence. Les soixante gosses étaient pétrifiés. Les filles avaient cessé de se pousser du coude. D'une voie mielleuse d'inquisiteur, Mme Cousson ordonna au gosse de monter sur l'estrade et l'obligea à se dévêtir, pièce après pièce. Ses pauvres cotonnades entassées à ses pieds, Clovis claquait des dents. Il ne lui restait plus que son slip pendouillant et un maillot de corps, grisâtre et déchiré. La maîtresse tournait autour du gamin, l'examinait en marmonnant, le nez toujours pincé. Je crus un instant qu'elle allait s'en tenir là, faire se rhabiller l'enfant qui sanglotait à présent en appelant son frère.

Comme dans un cauchemar, j'entendis alors la voix de la maîtresse ordonner :

— Ne t'arrête pas en si bon chemin ; enlève-moi ces hardes...

Mon sentiment d'indignation se mêla à un trouble malsain lorsque le petit dut quitter maillot et culotte, se contorsionnant pour cacher sa nudité. Un rire de fille partit alors du fond de la classe, vite relayé par des lazzis venus du banc de Mourillon.

Mon dégoût atteignit son comble lorsque, à la fin de la classe, une petite bande d'enfants se mit en devoir d'exécuter la sentence de la maîtresse : ayant enfin permis à Clovis de se rhabiller, elle lui avait attaché des rubans de fille dans les cheveux et lui avait interdit de retirer ces nœuds d'infamie pendant toute la traversée du village.

Une escorte bruyante accompagnait Clovis en pleurs. J'ai dû endurer ce spectacle auquel se prêtaient certains adultes, jusqu'à ce que, parvenus au « carrefour », sur nos terres, nous ayons pu mettre fin à cette abomination avec l'aide de braves gens des terrasses qui nous aidèrent à disperser Mourillon et sa clique.

J'étais en larmes lorsque je racontai la scène à mes parents. Ma mère, à la fin de mon récit, dit à mon père :

— Célestin, il faut faire quelque chose... On va mettre Cyprien à l'école libre.

Célestin secouait la tête et il rugit :

— Tu veux mettre ton fils à l'école des curés, à l'abri des enseignants maboules... mais les deux autres, dans le cabanon au bord de l'eau, qui se soucie d'eux ?

Dès le lendemain, Célestin organisa une expédition à Roubejolle, sur les terres de Sourzac, le « Croix de feu », d'où il revint avec Clovis et Julien, les deux fils Castagnet. Avec l'aide de Gus le tonnelier et de Sylvain Billoux, ils avaient arraché le gamin et son frère des griffes du planteur. Depuis la mort de Madeleine et de son mari, les deux frères avaient été confiés par le conseil de famille au planteur qui, étant l'un des hommes les plus riches de la région, inspirait confiance. Sourzac les logeait dans une cabane de pêcheur, en échange de quoi, du matin jusqu'au soir, il contraignait le frère aîné à faire la plus dure besogne de la plantation. Personne, en ces temps-là, ne s'avisait de contrôler la situation de deux petits orphelins.

Une chose est restée pour moi mystérieuse. Comment ma mère, cette maîtresse femme, a-t-elle accepté que Julien, garçon de dix-neuf ans, fils illégitime de son mari, vienne vivre sous son toit ? A quelles contreparties Célestin dut-il consentir ? Je l'ignore. Ce qui est certain, c'est qu'à dater de l'entrée en apprentissage de Julien chez nous, il y eut un net renforcement de l'emprise d'Amélie sur notre éducation. Rique et moi aurions été ravis d'avoir un nouveau frère, si notre malaise avait été moins grand. En notre présence, Julien avait le regard fuyant et des manières étranges, comme s'il était indécis quant à son statut dans la maison. Sans doute, au début, avait-il lui aussi cru trouver une vraie famille. Cela, nous ne pouvions pas le lui donner.

La fin de l'année 1933 fut marquée par une grande agitation dans les campagnes où se multipliaient les faillites d'agriculteurs et d'artisans. Dans les villes le chômage faisait des ravages. Les socialistes avaient créé à Limoges la Confédération nationale paysanne. Je crois que mon père, devenu mi-paysan mi-artisan, avait de la sympathie pour cette organisation. J'ai le net souvenir qu'il était révulsé par l'activité des ligues, qui, après avoir obtenu l'arrêt de l'immigration, exigeaient toujours plus. Des forces influentes, on l'a un peu oublié, voulaient alors instaurer en France un régime fasciste. Célestin, dans ses propos et dans ses actes, était de plus en plus engagé du côté des victimes de la crise.

Lors d'une tournée à Gluges, quelques jours après

le 6 février 1934, il y eut un nouvel incident avec Sourzac. Nous passions sous les falaises délicatement nimbées de grésil, et Célestin avait attendu que le pas du cheval se fasse moins bruyant pour aborder le sujet qui lui tenait à cœur :

— Tu as entendu parler de ce qui s'est passé l'autre jour à Paris ?

Comment n'en aurais-je pas entendu parler ? Dans sa mansarde, Giuseppe m'avait expliqué. L'émeute avait été conduite par les amis de ceux qui l'avaient chassé d'Italie, les fascistes.

Arrivé au hameau, Célestin actionna sa corne à deux temps, qui éparpilla une bande de choucas. L'endroit, très majestueux, avait une acoustique de cirque romain, rendue plus profonde encore par la proximité de l'eau, grossie et boueuse, qui se projetait furieusement jusqu'au cingle de Montvalent. Presque instantanément, dans l'enfilade des ruelles, des portes s'étaient ouvertes, et les femmes, la plupart vêtues de noir, étaient descendues vers le chariot où le remplaçant d'Artaban secouait la tête, soufflant des jets de vapeur.

A l'arrière de l'attelage, Célestin prenait les commandes et pesait le pain chaud. Il se dégageait du chariot un halo bienfaisant autour duquel les paysannes emmitouflées s'attardaient volontiers. J'observais mon père ; sa silhouette tranchait sur la petite taille des femmes, dont les fichus noirs accusaient la minceur des visages rougis par le froid. D'un doigt expert, Célestin déplaçait le curseur de la balance romaine, après avoir planté le crochet dans le plat de la tourte. Ensuite, il coupait un quignon d'appoint qu'il pesait aussi. A chaque fois, un bon sourire remontait la moustache et éclairait les petits yeux marron.

La discussion allait bon train sur le temps, le froid qui ne lâchait pas prise, les fils d'un villageois qui s'étaient fait prendre en flagrant délit de pêche à la grenade...

Le patois n'était plus pour moi une langue si mystérieuse. Pourtant, les préoccupations quotidiennes qu'il exprimait me retenaient moins que sa mélopée, qui m'enveloppait comme les mots que bredouille une mère pour endormir son enfant. Aussi m'étais-je vaguement assoupi sur ma banquette, dans la chaleur du pain, tenant les guides en rêvassant et parlant au cheval qui hennissait doucement.

Soudain, les éclats d'une voix tonitruante, venue de l'arrière, avaient desserré les rangs. Celles qui étaient déjà servies s'éclipsèrent d'un seul coup. Je reconnus la voix caverneuse de Sourzac :

— Alors, boulanger, tu as récupéré ton bâtard ? Remarquez, ajouta-t-il en se tournant vers les femmes qui attendaient leur pain, il a dû en semer un peu partout, pendant ses cinq ans de villégiature dans les Balkans...

Célestin blêmit. Tout en continuant à couper un quignon avec son grand couteau, il répondit d'une voix assourdie par la colère contenue :

— Tu faisais moins le fier avec ta bande de crapules, place de la Concorde, l'autre jour. Il paraît que tu rampais sous un autobus en demandant pitié à la garde républicaine. Je me suis même laissé dire qu'on t'avait relâché parce que tu avais dénoncé les meneurs !

Le planteur était maintenant face à mon père, l'un la badine à la main, l'autre ne lâchant pas son couteau. Les femmes avaient regagné leur logis. Elles avaient besoin de l'emploi que leur assurait Sourzac au mois d'août, lors de l'écimage et l'épamprement du tabac. Le teint cramoisi et les arêtes du nez battant comme des ailes de libellule, Sourzac dominait mon père d'une demi-tête. Il hurla :

— En tout cas on a eu la peau de tes copains radicaux et francs-maçons : Chautemps et Daladier.

Et on aura celle de Doumergue... Il va regretter d'être revenu de Tournefeuille, celui-là... Il était temps que les vrais combattants réveillent ce pauvre pays... Je ne parle pas de ceux qui se sont baguenaudés aux frais de la princesse dans les îles grecques...

Nous n'avions pas pris garde à une petite femme sèche, dissimulée derrière le chariot depuis le début de la scène. Elle s'est avancée, enveloppée dans un méchant cardigan informe, coiffée d'un vieux béret d'où s'échappaient des mèches de cheveux blancs.

— Monsieur Sourzac, dit-elle d'une voix qui tremblait un peu, il est possible que vous ayez vraiment fait la guerre. Ce que je sais, c'est que mon fils a été renversé par une charrette en ramassant votre tabac, et que vous l'avez laissé mourir comme un chien. Célestin Charrazac lui, qui n'avait rien à voir avec nous, nous donne chaque fois qu'il le peut son pain pour moi, ma belle-fille, et mes petits-enfants...

Comme Sourzac ne trouvait rien à répondre, Célestin lui jeta :

— Prends ces deux tourtes... Je ferai ton compte avec le meunier. Si je te dois du pain, je te le ferai porter par le boulanger de Saint-Denis, mais désormais, évite-moi, car je pourrais bien un de ces jours te montrer quelle sorte de guerre j'ai faite dans les îles !

Les yeux étincelants, il acheva sa phrase en enfonçant d'un geste sec son grand couteau dans l'étui de corne. Comme les sabots du cheval de Sourzac, qui avait battu en retraite, sonnaient sur les pavés de la placette, la vieille femme demanda à Célestin :

— Regarde s'il ne te reste pas trois tourtes comme d'habitude.

— Cyprien, me cria mon père, attrape les trois tourtes du banc pour Sidonie !

J'ai pris les trois pains ronds, coincés sous un sac. Ceux-là n'étaient pas chauds. Les tourtes étaient rassies.

Plus tard, dans la montée en corniche au-dessus de l'eau bouillonnante, je ne pus retenir ma question :

— Pourquoi m'as-tu fait donner du pain rassis à Sidonie, qui t'avait défendu ?

— C'est à sa demande, me répondit-il sans hésiter. Le pain rassis lui fait plus longtemps. Quand on a huit bouches à nourrir avec une pension de veuve, il vaut mieux que le pain ne soit pas trop savoureux.

La journée du 6 février avait suscité une vive émotion. Dans notre région comme ailleurs, la riposte populaire fut d'une ampleur inattendue. Ce 12 février 1934, nous participions à une imposante manifestation. Les collines de Tulle étincelaient sous le grésil. Le défilé passait un pont sur la Corrèze verte, où des éclats de soleil flamboyaient dans des poches de glace. Le rugissement des sirènes mourait dans le dédale des ruelles, pour rebondir mêlé aux nappes sombres du tocsin. Vingt mille ouvriers, paysans, démocrates, chacun avec ses revendications propres, tous refusant la dictature. Au début du défilé, les mots d'ordre ne faisaient pas explicitement allusion au fascisme. J'ai pourtant souvenir des explications que Giuseppe m'avait données, tout en me frictionnant le dos, car j'avais la coqueluche.

Les slogans parlaient beaucoup de pain et de travail. Dans un premier temps, je ne compris pas ce qu'ils voulaient dire. Au village, je ne connaissais personne sans travail. Quant au pain... Des hommes en casquette arrachaient des affiches collées le long des murs de la manufacture d'armes et sur lesquelles on lisait : « Du pain pour les vrais

Français ! » J'avançais, perplexe, étourdi par le bruit. Je n'avais jamais vu mes parents refuser le pain, même pas aux gitanes dont les enfants nous volaient au magasin. Ces affiches me paraissaient absurdes, et je commençais à me dire qu'il y avait dans les villes des hommes aux opinions étranges.

A ma droite, mon père défilait en silence. Il avait tenu à m'emmener malgré ma fièvre. « Il faut que la jeunesse fasse très tôt ses expériences », avait-il dit à Amélie. Il en savait quelque chose, lui qui, à onze ans, tout en préparant le certificat d'études, aidait sa mère à nourrir la famille en travaillant pour un boulanger de Curemonte.

A ma gauche, Giuseppe rayonnait. En haut d'un raidillon, il se retourna, me souleva pour me montrer la foule derrière nous. Il hurlait comme un gosse :

— *Piccino*, la France se réveille !

Giuseppe prononçait ses *a* à l'italienne. Quand il disait « la France », cela venait du plus profond de la gorge et du cœur. Nous étions dans une ruelle mal pavée, un léger nuage de vapeur montait du moutonnement des têtes anonymes. Un seul slogan à présent faisait vibrer les vitres glacées des masures : « Unité d'action ! »

Nous sommes entrés quelques instants dans un petit café pour nous reposer et nous réchauffer. Giuseppe était heureux comme un enfant à une fête longtemps attendue. Pour la première fois, les souvenirs d'avant-guerre cent fois racontés dans sa mansarde paraissaient en harmonie avec ce que nous vivions.

— C'est comme à Reggio, en 1919, avec les *braccianti* et les ouvriers. Quarante mois de grève et, pour finir, conclut-il avec un drôle de sourire, le fascisme.

Nous connaissions son histoire. Après la guerre, la municipalité progressiste avait pris le ravitaillement à sa charge, et Giuseppe avait été employé d'une boulangerie communale de Reggio d'Emilie. Après la promulgation des lois de 1925, les fascistes l'avaient révoqué et battu à mort sa sœur aînée, militante communiste comme lui.

Des ouvriers continuaient d'arracher les affiches fascistes du parti socialiste national et celles de Défense paysanne de Dorgères. Le visage de Giuseppe se durcit, et il dit à voix forte :

— Ces salopards m'ont fait boire le mazout ! En me trempant la tête dans la cuve, ils me disaient : « La prochaine fois, on te fout le feu à la gueule ! »

Célestin marmonnait quelque chose en marchant. Je ne comprenais pas quoi, mais il devait faire des essais de voix car soudain, je l'entendis hurler à l'unisson d'autres voix qui venaient de l'arrière :

— Ouvriers, paysans, artisans, tous ensemble !

Et les voix appuyèrent très fort :

— Contre le fascisme !

Puis, pendant une période de silence relatif, je l'entendis confier à Giuseppe :

— Moi aussi, je les ai bien connus, tes fascistes : dans les rues de Fiume, avec le contingent français, en juin 1919. Mussolini avait monté la population contre nous à cause du traité de Versailles. J'ai bien failli être lynché par une meute de fanatiques. Ils ne voulaient pas du rattachement de la ville à la Croatie. J'ai dû me réfugier dans une église.

Je ne parvenais pas à imaginer mon père s'enfuyant. Pas même devant une meute d'Italiens hystériques.

Comme le rassemblement était parvenu à son terme devant la préfecture de la Corrèze, un groupe de jeunes communistes porteurs de pancartes est venu dévisager mon père. Les garçons l'ont entouré et se sont mis à scander :

— Staline avec nous !

C'est alors que je remarquai une certaine ressemblance entre le visage de Célestin et celui qu'ils promenaient en effigie : mêmes yeux bridés, même regard malin, même moustache lourde pointée vers le bas.

Mon père riait de bon cœur. Il se tourna vers Giuseppe et lui dit :

— Tu dois être heureux de travailler avec ton idole.

Cette phrase avait paru peiner Giuseppe. Dans la voiture, au retour, il expliqua à Célestin qu'il venait d'apprendre, par une lettre de son ami établi à Nérac, la déportation massive en Sibérie des antifascistes italiens réfugiés à Moscou.

De retour à la boulangerie, nous avons entendu le pétrin qui tournait le levain. Julien était de corvée, ayant refusé de nous accompagner à Tulle. Pour la première fois, je lui vis une expression d'hostilité quand il jetait des regards obliques à Giuseppe qui racontait la manifestation à ma mère. Il y avait dans ces yeux comme une volonté de tuer, et elle réapparut chaque fois que Giuseppe parlait de politique.

L'hiver 1934 se prolongeait. J'étais dans ma douzième année. C'est un petit matin de dimanche, en allant soigner les bêtes, que Rique et moi avons découvert des plaques de pissat gelées dans l'étable. Les bêtes, qui s'étaient serrées les unes contre les autres, mélangeaient leurs buées. Négligeant la vente de *La Vie quercinoise,* nous avons couru réveiller Robert et le cousin Pierrot. Foulant l'herbe durcie, nous nous sommes précipités à la Sourdoire. Elle s'était vitrifiée pendant son sommeil. Toute la vallée, blanchie sous le grésil, baignait dans un silence minéral. On entendait craquer les pierres gélives des falaises. Le vieux moulin était posé sur la glace silencieuse, comme un jouet cassé. Robert jeta une grosse pierre sur le goulot du bief. Elle rebondit avec un bruit mat et glissa jusqu'à la bouldure, au pied de la roue qui semblait figée. La veille, l'eau du ruisseau, très basse, se frottait au talus profond. Dans la nuit, elle avait été coupée par la glace en poches qui ne communiquaient plus entre elles.

Au fond des congriers, les chevesnes allaient mourir. Il fallait même craindre pour la belle truite fario qui nichait sous les talus. Elle nous avait glissé des mains bien des fois. Pour la libérer, Pierrot, le plus âgé, décréta qu'il fallait briser la glace avec des outils.

— Je sais où il y en a, suivez-moi, nous dit-il avec l'assurance de ses seize ans. A la forge de Broussie.

Nous avons quitté le lit gelé pour escalader le talus, d'où l'on découvrait le derrière de la forge. Je voyais la gueule noire de l'atelier : le soufflet haletait à chaque plongeon de la branloire. Les flammes montaient en longues lanières jaunes dont les bluettes crépitaient dans la grande hotte sombre. Pierrot et Robert ne perdirent pas de temps pour ouvrir la porte du vieux bigre, où le forgeron remisait ses outils rouillés.

Nous étions en train de fouiller parmi les vieux butoirs aux lames ébréchées et les brochoirs à la tête aplatie par les années de martelage, quand le bruit d'une détonation nous parvint.

Terrifiés à l'idée d'être surpris par le forgeron, un hercule irascible, nous entrebâillâmes la fenêtre du cabanon pour voir ce qui se passait du côté de la forge.

Des coups de sifflet déchirèrent l'air cassant. Une voix grêle, amplifiée par un haut-parleur, glapissait. Pierrot, qui voulait être policier, le reconnut le premier.

— C'est Roucaute, nous souffla-t-il.

On entendit de nouveau la voix du brigadier de gendarmerie.

— Au nom de la loi, monsieur Broussie, veuillez sortir sans opposer de résistance.

Nous distinguions le vaste hangar où crépitait le feu de la forge. Un étalon affolé, ayant démantelé son box, se précipita vers la sortie. L'animal, pris de panique, martelait le sol pavé. Parvenue au fond de la ruelle, la grande bête brune heurta violemment les gendarmes qui voulaient la prendre au licol. La voix du forgeron nous parvint, anormalement rauque et aiguë. C'était la voix d'un sanglier forcé.

— Nom de Dieu, vous l'avez bien cherchée, celle-là !

Un coup de feu claqua, dispersant les étourneaux qui s'envolèrent dans un froissement de soie. Un gendarme gisait sur le dos, saignant abondamment du visage. Son képi avait roulé sur le sol.

Les six autres uniformes, brigadier compris, se replièrent en courant vers les murets, face à la boulangerie.

La haute silhouette de Célestin apparut dans l'entrée embuée du fournil.

— Halte au feu ! cria-t-il. Félicien, halte au feu !

Le forgeron avait regagné la gueule noire de son atelier. Une petite foule, que nous n'avions pas distinguée jusque-là, entoura les gendarmes. C'était l'heure de la messe. De nombreux paysans endimanchés profitaient de l'occasion pour amener leurs chevaux à ferrer. Dès le premier coup de feu, ils étaient sortis des bistrots et s'étaient rencognés, attendant que quelqu'un intervienne.

Se voyant cerné, le brigadier avait tenté une nouvelle offensive. Depuis le repli de ses hommes, il s'égosillait dans son porte-voix. Mais notre Gustave, de sa terrible poigne de tonnelier, lui arracha l'engin et se mit à hurler, de sa voix forte et gouailleuse :

— Broussie ! Fais pas l'imbécile !... On va les reconduire dans leur gourbi... C'est eux qui sont saisis, c'est pas toi, mon gars...

Célestin, qui connaissait bien Broussie, avait couru dans la ruelle et pénétré dans la forge, écartant rudement les chevaux terrorisés, qui tiraient sur leur longe en hennissant. On entendit une autre détonation venue de la venelle. Il y eut un mouvement de repli, des gens tombaient. Après quelques instants de confusion extrême, une fenêtre s'ouvrit au premier étage. Mon père s'y encadra. Il criait :

— Broussie s'est tué ! Allez chercher le docteur Mazard !

Le docteur, déjà prévenu, se frayait un passage dans la foule qui s'écartait devant sa carrure imposante, sa tête ronde et frisée et sa grosse mallette de cuir.

Quittant l'abri du cabanon, nous nous sommes mêlés à l'assistance, incertains de ce que nous venions de voir et nous sentant vaguement coupables. Des femmes pleuraient. Des cris d'indignation fusaient. Albertine glapissait :

— C'est à ça qu'on les paye, les bons à rien, saisir les pères de famille qui ne peuvent pas payer leurs impôts !

— C'est toi, Roucaute, qui vas élever les quatre enfants du forgeron ? hurla une autre voix.

Dans la foule, j'aperçus Giuseppe, le visage farineux, livide de rage. Il dévisageait un gendarme, en tapant sa bille de buis contre la paume de sa main. Le maire s'était interposé pour permettre le retrait des forces de l'ordre.

Quand mon père revint de la masure du forgeron, il était accompagné de deux des enfants de Broussie. Le pauvre homme était veuf, sans famille. Albertine avait recueilli les deux autres.

— Il n'a pas souffert, votre père... Il est là-haut, maintenant, disait-il aux petits en pleurs.

C'était la première fois que j'entendais Célestin mêler le ciel aux affaires humaines.

— Ils ont bien travaillé, dit-il à ma mère, en lui confiant les gosses ; les fumiers... Ça ne peut plus continuer comme ça, c'est trop de misère toujours pour les mêmes.

7

Cela faisait à présent un an que mon demi-frère, Julien Castagnet, était parmi nous. Sa présence à la boulangerie était apparue ambiguë à tous ceux qui savaient. L'enfant pâle, qui ressemblait tant à sa mère, n'avait rien pris de la prestance lourde et brune des Charrazac. J'avais cru déceler autour de nous un climat de réprobation silencieuse, des phrases interrompues. Je m'étais alors mis en tête que tous savaient. Pourtant, le doute subsistait dans mon esprit. Ce long jeune homme, au teint diaphane, vigoureux et dévoré de tics, était-il vraiment le fils de Célestin, ainsi que mon père lui-même m'en avait fait l'aveu ?

Un soir, sur la terrasse de La Martinie, face aux dos de bisons des collines corréziennes, Anna, ma grand-mère, me sentant troublé par la cohabitation avec ce demi-frère tardif, me raconta...

Elle le fit dans son parler rude, frottement de deux langues, où l'eau de la tendresse et la robustesse de la pierre déposaient, au coin de sa bouche édentée, des mots oubliés, galets polis par l'usage, seuls propres à dire ce qu'elle devait me révéler.

— Le mois d'août 14, commença-t-elle, tu ne peux pas te figurer ce que ça a été... Les hommes ont laissé les ablais tout en pagaille ; ça semblait déjà la guerre... On entendait bourrir les perdrix qui venaient piller les grains jusque sur la place du village. Les oiseaux avaient compris que plus personne ne les chasserait.

Huit coups sonnèrent au clocher de Queyssac. Je regardai ma grand-mère qui s'était interrompue, comme si l'heure qu'il était pouvait suspendre le récit d'août 14. Nous avions cessé de parler, envahis par le ruissellement des sons de toujours. C'était comme une eau qui coule ou une étoffe douce à la peau, tramée de tous les bruits, de toutes les odeurs d'autrefois. Ma grand-mère semblait scruter les souvenirs de sa longue existence.

De la grange jusqu'aux grands arbres de la cour, le tapage des martinets et des passereaux avait repris. L'immuabilité des bruits de la nature et la sérénité de cette vieille conféraient à l'instant un caractère intemporel. J'écoutais longuement monter, dédoublés par le profond écho, les cris des bergers rassemblant leurs moutons. Le son ingénu des clarines se mêlait à celui du trébuchement des charrettes au chemin du vallon, et aux senteurs de chevelure du foin.

Je m'efforçai de faire abstraction de tous ces bruits familiers et de m'imaginer La Martinie en août 14. Le son des clarines n'était-il pas celui qu'avaient entendu pour la dernière fois, la veille de leur départ, tous ceux qui devaient mourir à la guerre ? Comment ne pas ressentir alors, en compagnie de cette très vieille femme, le pressentiment qu'ils avaient dû avoir, en cette soirée d'angoisse du 31 juillet 1914 ? Son visage tavelé était creusé par deux profonds guillemets, qui encadraient sa bouche. Soudain, la lueur que j'aimais tant s'est rallumée aux petits yeux noisette :

— Je me souviens, reprit-elle. La moisson des Jaubertie était la plus avancée. Ils ont dû laisser les chartils déjà dans la cour. Le battage était prêt, les épis sont restés là, entassés. Ils étouffaient sous la nielle.

Elle devança ma question :

— Tu sais bien, les fleurs rouges qui empoisonnent le blé si on ne fait pas vite le tri. Les épis avaient l'air de saigner, tout charbouillés dans leurs charrettes, et nous les femmes, en passant devant chez Jaubertie, on imaginait des morts, des charretées de soldats qui saignaient... Il n'y avait plus de cris d'hommes. Ils avaient tous reçu leur feuille de route dans la nuit du 1er août, vers 11 heures du soir. Les gendarmes étaient passés dans chaque ferme où il y avait un homme pour partir. Ils n'avaient pas eu besoin de taper, les aboiements des chiens avaient mis tout le monde aux fenêtres. Avec l'écho, on aurait dit que c'était toute la vallée qui aboyait en pleine nuit. Du Puy del Treil, du Puy Turlot, de Curemonte, du Puy de Tour, sur toutes les collines, des feux clignotaient. Quand ils sont arrivés en bas de la côte du Teillet, ton père était sorti. Il les attendait au coin du mur, avec son fanal. Le vélo à la main, ils lui ont juste dit qu'ils n'avaient rien pour lui, que suite aux protestations de la population, les boulangers ne partaient pas. Pour le moment. Ils ont simplement ajouté en s'éloignant vite, parce qu'ils étaient loin de voir le bout de leur tournée : « Il faudra apprendre aux femmes et aux vieux à faire du pain, et remettre les fours banals en état dans tout le canton. C'est l'effort de guerre. »

Elle soupira, écossa quelques petits pois au creux de son tablier, et poursuivit :

— C'est comme ça que ton père est resté jusqu'en octobre. Tu penses bien que toutes les femmes voulaient l'avoir pour allumer le four et leur apprendre à pétrir. Et puis savoir comment on allait faire pour la farine, puisque les blés pourrissaient dans les champs... Heureusement, il y a eu l'Algérie pour nous sauver, avec son blé. On peut dire qu'il a eu du travail, ton père, dans cette période-là. Il n'avait pas le temps de courir le guilledou. Il était demandé partout, il a réparé tous les fours. Les gens ont eu vraiment besoin de lui.

— C'est depuis cette époque que Louradour...

— Bien sûr ! Le pauvre Louradour n'a pas été mobilisé parce qu'il était simple. C'est depuis cette époque qu'il a commencé à passer ses journées au bord de la route, à dire aux passants qu'il avait vu Célestin, qu'il était venu en permission. Pour les gens du hameau, tu comprends, à cette époque, le retour du boulanger, c'était un peu la fin de la guerre. Mais ça, il a travaillé, *toun païre*.

Elle avait terriblement roulé le dernier *r*. Je sentais toute sa fierté dans ce roulement, la diphtongaison de sa prononciation patoise. Que son fils Célestin ait été un bienfaiteur pour le petit hameau, voilà ce dont elle voulait me convaincre, pour balayer les sous-entendus des gens de la vallée et m'empêcher d'imaginer que Célestin ait pu mener une vie de coq de village au milieu de toutes ces femmes. Elle reprit :

— Madeleine, c'était différent.

Je lui posai la question qui me brûlait les lèvres :

— Est-ce qu'ils se sont aimés, Madeleine et mon père ? Parce que la nuit de sa mort, quand la maison est partie à l'eau, Célestin, il a...

Elle chassa le chien qui se mordait frénétiquement les puces, sous le banc.

— Il a pleuré, hein ? Ça ne m'étonne pas. Les hommes, ça pleure, tu sais.

Les guillemets de son visage s'ouvrirent, ses yeux pétillèrent. Elle semblait heureuse de revivre cette période lointaine, dont elle n'avait pas dû parler souvent.

100

— Madeleine, ton père l'avait toujours voulue. Elle était rousse comme un goupil, avec de beaux yeux verts... Et puis, elle était fine, elle avait lu des livres. Tu comprends, sa mère était la gouvernante du curé d'Aubazine.

Après m'avoir scruté pour s'assurer de l'effet que produisait sur moi cette dernière révélation, elle s'est levée en décrétant qu'il était l'heure d'aller préparer le repas.

Plus tard, pendant que la « tartane » noire bouillait dans la cheminée, je lui ai demandé si mon père avait su que Madeleine attendait un enfant de lui. Sa vieille main a battu au-dessus du faitout, comme pour dissiper des ombres :

— Il n'a jamais reçu la lettre. Il était parti pour les Dardanelles, le bateau du courrier a dû être coulé. Tu sais, même les livrets militaires ont été perdus, alors...

Elle s'assit sur la banquette du cantou et ajouta pensivement, en détisant le feu :

— Ton père, quand il est revenu, il était blanc du dehors. Même ses yeux avaient pâli. La dysenterie, le palu... Ça, il avait toute sa tête. Heureusement qu'il n'a pas attrapé la dengue.

Elle fit un signe de croix.

— Mais à l'intérieur, il était presque charbon... Tu sais, la guerre c'est comme un grand four, ça les crame en dedans les hommes... Après, sa force a pris le dessus. Et puis, tant que celui-ci, là-haut, est solide, ton père ne risque rien...

Comme chaque fois, elle venait de désigner l'ombre du grand peuplier, découpée sur le haut du puy.

Les brumes, à présent dissipées, avaient roulé jusqu'à nous, dans un mascaret de soie, les clapotis du fleuve et le chant des grillons. Je distinguais, à la lueur de l'âtre, les traits saillants du visage de ma grand-mère.

— Tu comprends, reprit-elle, Madeleine, elle était partie cacher son gros ventre à Mézels, chez sa sœur. Mais même là-bas, celles qui accouchaient après le mois d'avril 1915, c'est qu'elles avaient fait ça avec un simplet réformé, ou un boulanger qui n'était parti qu'en octobre. C'était signé. Alors, on disait dans leur dos : « Il sera *djornol* ou *farinol* : sot ou boulanger. » Le petit Julien, lui, n'a été ni l'un ni l'autre. Madeleine s'est dépêchée d'épouser Castagnet, trop vieux pour partir à la guerre, et puis elle a fait ce petit renardeau qui ne ressemblait qu'à elle. Quant à ton père, tu ne sais pas tout ce qu'il a vécu, là-bas, à Salonique. Un jour, je te ferai lire une lettre, quand tu seras en âge... Il n'a pas toujours été dans les services sanitaires.

Elle ne voulut pas m'en dire davantage. Je m'endormis, cette nuit-là, dans la vieille maison qui sentait le salpêtre, car les chambres avaient été creusées profond dans la roche. Je fus long à m'endormir. Il y avait le raffut des rapaces nocturnes, en chasse sur la rivière, et toujours cette guerre qui revenait, quinze ans après, déchirer l'image exotique que m'en avaient donnée les cartes postales d'Anna.

Julien occupait la plus petite mansarde, celle que l'arrondi du toit réduisait à une soupente humide. Le jeune homme avait été soulagé que Célestin ait mis fin à l'esclavage dans lequel Sourzac les faisait vivre, lui et son petit frère Clovis. Pour autant, il n'avait marqué aucune reconnaissance à mes parents. C'était un écorché vif ; je savais que les malheurs qu'il avait subis expliquaient son caractère difficile. Ma mère lui témoignait une parfaite froideur ; elle tenait à marquer une frontière nette. Pour elle, il y avait deux Célestin. Celui d'avant-guerre, jeune hercule bagarreur et coureur, était bien mort. Sous sa férule stricte, Célestin était devenu un maître boulanger respectable. Elle avait, par simple charité, accueilli sous son toit un commis de plus, pauvre orphelin de surcroît.

Ainsi, le jour de ma communion solennelle, Julien, consigné dans sa mansarde, avait-il dû entendre les bruits de la fête, sans y prendre part. Sa présence parmi nous n'aurait pas manqué de relancer les commérages. Giuseppe, lui, avait pris place autour de la grande table disposée dans le fournil, qui avait été ripoliné et décoré pour l'occasion. Depuis neuf ans, l'Italien faisait vraiment partie de la famille et sa présence autour de la table n'avait pas prêté à discussion.

Quelque temps après ma communion, au printemps 1935, on m'apprit à façonner les couronnes. Célestin jetait les pâtons sur le tour. Seuls le crissement des chaînes de la grande balance romaine et le choc métallique du coupe-pâte ponctuaient le silence ouaté des fins de nuit. Giuseppe, qui venait d'enfourner la troisième, me regardait faire.

— Le petit, il boule comme la patronne, dit-il. Même coup de main...

Ma mère, empourprée de fierté, répondit :

— Oui, il a des doigts longs et fins. Il me fait penser aux gestes de ma mère, quand elle pliait du linge. Regardez !

Elle s'était emparée d'un pâton informe, mâchuré par le coupe-pâte, l'avait fleuré d'un jet de farine et avait commencé de lui donner mouvement. La main droite tirait vers le haut des pans de pâte, sans rupture ni adhérence. Sitôt l'arrondi ébauché, le geste vif de la main gauche rabattait d'un mouvement tournant la pâte qu'elle semblait effleurer. Le pâton, une fois remis à l'endroit, mâchures et plis fondus sous la boule, présentait alors la forme lisse et ronde d'un sein épanoui.

J'avais senti, en observant ma mère, à quel point

ces gestes manifestaient le versant féminin de ma gestuelle. Je ne façonnais pas comme Célestin, qui avait des gestes ronds et lents, mais bien avec cette vivacité qui était aussi celle de ma mère. J'en étais là de mes réflexions, quand mon regard se posa par inadvertance sur Julien, qui nous observait dans la pénombre. Je lus dans ses yeux une haine qui me fit peur ; en même temps, je comprenais sa frustration et son amertume. Personne ne lui dirait jamais que ses gestes ressemblaient à ceux d'un être cher.

Le travail terminé, Julien me proposa de m'initier à une pêche réservée aux grands. Je ne voulus pas le blesser en refusant. De surcroît, j'étais curieux des ruses destinées à piéger les poissons, connues des seuls riverains de la Dordogne. Un peu inquiet, je le suivis le long des berges de la Sourdoire, dans les prés criblés de merles. Les longues jambes de Julien laissaient dans l'herbe un étroit sillage, prompt à se refermer, d'où giclaient peu de sauterelles. Il avait la foulée aérienne du braconnier. Moi, je guettais les taureaux de Mialvecque assoupis sous les chênes, dans l'ombre qui atténuait un peu leur couleur feu. Pourtant, à chaque balancement de queue, je tressaillais. Par chance, je ne portais pas de rouge sur moi, excepté mon visage que je sentais empourpré par la peur, comme chaque fois que j'approchais du fragile enclos. J'étais sûr qu'à la première provocation, les clôtures n'auraient pas résisté à la colère des bestiaux. Tous les récits de ceux qui s'étaient aventurés dans leur aire concordaient sur ce point : la moindre nuance de rouge allumait l'incendie dans les rétines des fauves. Leurs piétinements furieux avaient pelé l'herbe autour des grands arbres et tracé autour des taureaux une arène plus inviolable que l'enceinte des barbelés.

Nous étions parvenus à la grange en torchis, au toit crevé. Julien en était ressorti avec un superbe fusil de chasse à deux canons, qui étincelait au soleil. Je ne pus cacher ma stupeur :

— C'est avec ça que tu vas à la pêche ?

Il planta dans les miens ses yeux jaunes, qui d'habitude ne soutenaient pas mon regard. Puis, il rejeta sa mèche rouge en arrière, et me dit d'un ton de défi et de fierté :

— C'est un Fauré-Lepage. Le fusil de mon père. C'est tout mon héritage. Il était chez le forgeron le jour de l'accident... Heureusement.

Puis, il ajouta, en se dirigeant vers le ruisseau :

— Le jour où les rouges arriveront, ils trouveront à qui parler.

Je crus avoir mal entendu. Je pressai le pas, le tirai en arrière pour qu'il arrête d'arpenter le pré, et je criai :

— Qu'est-ce qu'ils t'ont fait, les communistes ? Tu sais que Giuseppe en fait partie ?

Nous étions presque au bord du ruisseau, qui faisait entendre son menu ruissellement d'été. Julien me fit signe de me taire et de me coucher près de lui. Je m'exécutai. Il me dit à mi-voix :

— Justement, Giuseppe est sur ma liste, et en bonne place.

Il sortit de sa veste à petits carreaux un papier jauni, couvert de noms, et reprit en chuchotant :

— C'est Sourzac qui me l'a faite ; c'est tous les rouges du canton... Rassure-toi, ton père n'est pas dessus, pour le moment, parce qu'il a fait Salonique et les Dardanelles. Mais il faudrait qu'il se fasse oublier.

Une grosse boule m'est venue dans la gorge. Abasourdi, j'ai murmuré :

— Mais Sourzac, il vous maltraitait, Clovis et toi...

Julien eut un geste évasif, de sa longue main blanche :

— C'est rien, ça. Il m'a promis de me pousser dans la vie quand la Cagoule aura pris le pouvoir...

Et voyant que je ne comprenais pas :

— Ah ! Tu n'en as jamais entendu parler ? On a plein de gros avec nous. A Clermont, tous les chefs de Michelin en font déjà partie.

Une lueur mauvaise passa dans son regard.

— Moi, je n'ai pas une boulangerie qui va me tomber toute rôtie, lâcha-t-il.

Je restai un instant songeur, tandis que Julien reprenait sa reptation. Nous étions au bord du crône sombre où l'eau dormait. Je vis mon demi-frère, avec un geste lent, comme la coulée d'un serpent, faire glisser son fusil le long de son corps, puis épauler. Sur l'instant, je crus qu'il jouait, et cherchait à m'épater, mais l'instant d'après, une détonation déchira mes oreilles... L'envol subit des merles fut suivi d'un bouillonnement de l'eau, où apparurent plusieurs poissons en détresse, des gardons, des chevesnes, qui trouvaient pâture dans les hautes herbes tapissant le ruisseau.

Une colère m'envahit, qui se transforma en rage quand j'aperçus le ventre blanc de la belle truite Fario battant désespérément de la queue pour maintenir en ligne sa tête, d'où s'échappait une traînée de sang. Julien avait déjà dévalé le talus et, de l'eau jusqu'à la taille, ramassait à l'épuisette les poissons moribonds.

Je me laissai glisser à l'eau, en hurlant :

— Tu n'as pas le droit ! C'est interdit, de tirer les poissons. C'était notre truite ! On l'avait sauvée de la glace, l'autre hiver...

Arrêtant de jeter les poissons sur la berge, Julien me prit par les bras. Sa voix, étonnamment forte, ressemblait à celle de Célestin en colère. Il hurlait en me secouant :

— Comment crois-tu que j'ai pu nourrir mon petit frère toutes ces années, pendant que toi tu mangeais tous les jours la mique et le petit salé ?

Il était rouge de fureur. Il me fit un croche-pied qui me déséquilibra et m'enfonça violemment dans l'eau. Des bulles s'échappaient de ma bouche. Julien me laissa remonter, j'aspirai avidement une grande goulée d'air, puis il recommença, une fois, deux fois... Quand il me relâchait, je voyais son visage penché au-dessus de moi. Il avait l'air de s'amuser, riait d'un rire aigu que je ne lui connaissais pas. Je me disais : « C'est fini, c'est un jeu ; il va s'arrêter. » Et au moment où je reprenais espoir, il me déséquilibrait à nouveau, me replongeait la tête sous l'eau.

Chaque fois que je remontais, un son argenté et pur provenait de la voûte des chênes. Les deux notes, presque identiques, d'un oiseau mystérieux vrillaient au plus profond mes veines en feu. Si le supplice s'était poursuivi quelques instants, j'aurais sûrement fini noyé, dans cette eau tiède où les bruits s'imprimaient avec démesure dans mon cerveau. Le choc des galets, soulevés par le tumulte de nos pieds, faisait sous l'eau un bruit d'éboulis. Après une violente talonnade, comme j'émergeai une nouvelle fois, la vrille des deux notes jumelles m'a transpercé de nouveau. Le bruit de mes hoquets et le râle de mes poumons n'avaient pas troublé le chant monocorde. La nature se souciait peu du cauchemar que je vivais.

Le visage de Julien était à présent figé dans un rictus impersonnel, comme un masque de tragédie grecque. Depuis ce jour, l'idée de la mort fut lontemps pour moi celle de l'effacement progressif des bruits du monde, ponctué par un chant d'oiseau dans la futaie d'un chêne, en été. Enfin, Julien me lâcha et s'enfuit. J'entendis sous l'eau le martèlement des galets soulevés par sa fuite. Quelques instants plus tard, les hoquets et les râles s'espaçant, je repris un peu de lucidité. En grimpant le talus, je compris qu'un puissant cheval attaché dans l'eau m'avait sauvé la vie. Le pauvre animal, effrayé par la détonation de la carabine, puis par notre lutte, s'était lancé dans une série de ruades et de hennissements, qui faisaient de gros bouillons tout autour de lui.

Je ne racontai à personne, pas même à Rique, cet épisode qui m'ancra cependant dans une méfiance, proche de la terreur, à l'égard de Julien, que je m'évertuais désormais à éviter autant que possible. L'idée que la mort pouvait vous être donnée par un proche m'avait mûri subitement, m'aidant à comprendre les mortelles passions des adultes. Le fascisme avait désormais pour moi un visage et un corps, et il logeait dans une mansarde de ma maison.

Quelques jours plus tard, un lundi après-midi, j'étais seul dans la grande maison. Les rues du village, livides sous la fournaise, ne vivaient que par le frémissement des chiens couchés dans les recoins d'ombre et qui levaient une oreille indolente au passage des véhicules à bestiaux. Car l'on continuait à tuer sous la canicule — à croire, même, que toute l'activité humaine s'était concentrée dans l'acte de donner la mort, comme si la survie des hommes, livrés à leur engourdissement méridien, était attestée par les cris d'angoisse et d'agonie montés des abattoirs. Les gros doigts de l'été écrasaient, sur les dalles de mort, les odeurs qui se boursouflaient sous la chaleur. Les effluves des vessies de porc mises à sécher dans les chênes au bord du ruisseau m'enveloppaient de leur puanteur familière.

Soudain, ma nuque se crispa : ce pas furtif dans

l'escalier menant aux combles, ce frôlement pour déjouer le craquement de la marche près de la fenestrelle n'appartenaient qu'à Julien. Au bout de quelques instants, je l'ai entendu fureter dans la partie inhabitée du grenier. Puis un long raclement, comme lorsqu'on tire un objet pesant, suivi de menus chocs sur le plancher.

J'avais refermé *L'Ile mystérieuse*. La peur et la répulsion que m'inspirait désormais mon demi-frère suffisaient à me tenir en alerte. Comme je n'entendais plus rien et comme ce silence ne me disait rien de bon, je décidai de monter au grenier.

La porte de la mansarde où logeait Julien était ouverte au fond du couloir. Je remarquai qu'il avait réussi à décadenasser celle qui donnait sur le « capharnaüm », la partie condamnée des combles où je n'avais moi-même jamais pénétré. J'y entrai avec appréhension. La haute charpente ressemblait à la cale d'un navire que la luminosité du jour piquetait de petits trous bleus, comme d'infimes voies d'eau, d'où la mer eût fait ruisseler de fragiles fuseaux dorés. Un froissement d'ailes courroucé me fit sursauter. Le grand duc avait quitté son nid dans la lucarne, pour se percher dans le lien de faîtage. Je distinguai un phonographe cassé, dont le pavillon ressemblait à un grand coquillage. Des lampes de four et des réservoirs à buée, dispersés sur le sol et recouverts d'une épaisse couche de poussière, jetaient un reflet cuivré. Un vieux miroir au tain tavelé me glaça d'effroi : ma mère se tenait dans l'embrasure de la porte... Je me retournai, prêt à bredouiller une explication à ma présence en ces lieux, quand je reconnus la silhouette blafarde et rebondie du mannequin, vestige des années de guerre où Amélie avait travaillé comme couturière-lingère.

Je me suis avancé jusqu'à l'entrée de la mansarde de Julien. A quatre pattes, il vidait sur le plancher le contenu d'une vieille malle. En m'apercevant, il me jeta, sans interrompre sa fouille :

— Regarde le beau bancal que je viens de trouver.

Il brandissait un sabre à la coquille de cuivre, mangée de vert-de-gris — celui-là même que j'avais longtemps vu suspendu dans la salle à manger, jusqu'à ce qu'une disgrâce mystérieuse ne le fît remiser. Dans le bois de la malle, qui avait dû être verte, une plaque métallique attira mon attention. Je compris que Julien venait de la frotter, car le cuivre brillait, et je pus déchiffrer l'inscription : CÉLESTIN CHARRAZAC 242ᵉ RÉGIMENT D'INFANTERIE (SALONIQUE).

J'ignorais jusqu'à l'existence de ce coffre. Julien avait déplié une vareuse gris clair exhalant une forte odeur de naphtaline. Il me dévisageait avec une nuance de mépris dans ses yeux jaunes, et dit, en désignant la croix rouge cousue sur la manche gauche.

— Je ne savais pas qu'il était brancardier ton père.

Vexé, je rectifiai :

— Infirmier, pas brancardier !

— Et pourquoi pas chirurgien, tant que tu y es ! De toute façon, c'est pareil, il ne se battait pas. Avec ses grands airs, ton père, c'était pas un héros. C'est Sourzac qui me l'a dit.

Rejetant la veste, il plongea de nouveau dans la malle et en exhuma un carnet gris-bleu, délavé et poussiéreux. Sur l'étiquette, je lus la simple mention inscrite de la belle écriture de Célestin : *Journal de guerre*. C'était un agenda du « Bon Marché », daté de 1914. Pensant trouver plus intéressant au fond de la malle, Julien me l'abandonna. Les pages étaient couvertes de lignes serrées ; mon père n'avait pu utiliser qu'une page sur deux, car elles étaient intercalées d'un papier buvard rose délavé, représentant une scène de bains de mer ou la reproduction d'un théâtre national. Je lus à haute voix :

« 15 avril 1915. Nous avons embarqué à Bizerte, sur le *Suffren*. Nous sommes arrivés tous malades en vue d'un grand port : Chanak Kale, à l'entrée du détroit des Dardanelles... Tout de suite, ça a été un déluge de feu... On a dû sauter dans le marais sombre. La nuit était balayée par les bombes. Mes pas s'enfonçaient dans la vase, jusqu'aux genoux. Presque tout de suite, le brancard s'est alourdi par l'arrière, Bussot ayant été coupé en deux par l'obus qui m'a projeté dans l'eau. J'ai senti dans ma bouche un goût fade et sucré, un goût de sang et de vase. J'ai ramené à la tente de l'infirmerie de campagne douze corps... seulement ceux qui faisaient le poids d'un homme complet ; dans le noir et le bruit des bombes, je n'ai pu faire qu'au poids... Seulement deux ont survécu. »

En comprenant qu'il s'agissait d'un récit de guerre, Julien se redressa, m'arracha l'agenda, le feuilleta avidement. Je l'entendis pousser un cri de désappointement. Les autres pages étaient illisibles, seuls quelques signes baveux apparaissaient ici et là : le carnet avait dû tomber à l'eau. Quelques pages à la fin de l'agenda avaient cependant été préservées, comme scellées par la boue qui avait laissé sur elles une trace épaisse, brunâtre. Julien, de nouveau très excité, se mit à lire à voix haute :

« 15 août 1919, nuit de canicule... La guerre se termine pour moi sous une pluie d'étoiles. Le ciel est un vrai ciel d'été, comme je n'en avais pas connu depuis cinq ans, un ciel de paix (cette fois, je crois que nous avons tué la guerre). Cette nuit, j'achève cet agenda qui fut mon confident... Je mesure ma chance d'être revenu en état de santé acceptable, à part les crises de palu qui devraient s'espacer, d'après le docteur Mazard. Par contre, je ne peux plus dormir que la journée, entouré des bruits de la paix. La nuit, je me réveille en sueur : c'était toujours la nuit qu'avaient lieu les attaques des Turcs ou des Bulgares. Amélie m'aidera. Elle avait tout compris par mes lettres. Nous nous sommes mariés le 9 août. Il manquait beaucoup de monde des deux familles. Nous avons jeté des bouquets de fleurs dans la Dordogne, un pour chaque tué de la guerre. Le plus terrible, ça a été la Macédoine en 17... Dix mille des nôtres sont morts de maladie : dysenterie, palu, typhus. Ces ventres blancs des copains mourants, piquetés de taches, je ne peux m'empêcher d'y penser quand je retourne mon panier d'osier sur la pelle d'enfournement et que la pâte blanche s'affaisse quand elle est un peu trop levée. Je crois alors voir les corps que je dépliais de leurs linges souillés, sur la table du bloc militaire, pour entendre le plus souvent le chirurgien dire : "Plus rien à faire..." Ça signifiait l'incinération du corps, à cause des épidémies. C'est toujours le même soulagement pour moi, comme le réveil d'un cauchemar, quand les croûtes dorées remontent à la gueule du four. La guerre sera vraiment finie pour moi le jour où je n'éprouverai plus ce soulagement. »

Julien buta sur la phrase suivante, me regarda, livide, et me dit d'une voix sans timbre :

— Mais, il parle de ma mère et de moi, là...

Je lui arrachai à mon tour le carnet et je lus :

« *Madeleine a un fils de moi, Julien qui, heureusement, ne me ressemble pas du tout. Il est le portrait de sa mère. M'a-t-elle écrit pour m'annoncer qu'elle était enceinte, comme elle l'a dit à ma mère ? La lettre ne m'est jamais parvenue... Cela aurait-il changé quelque chose ? Par bonheur, elle a épousé Castagnet. Cela a évité la honte à tout le monde.* »

Comme je finissais de lire, je compris, au craquement de la marche de la fenestrelle, que Julien venait de quitter précipitamment la maison.

La semaine suivante, je fus tiré brutalement d'un sommeil profond. Célestin hurlait au cœur de la nuit, non point dans le fournil, mais dans la chambre. Cela annonçait une grande catastrophe. Dans mon demi-sommeil, j'ai pensé à la prunelle noisette de ma mère. Je me suis dit qu'elle demeurerait foncée toute la journée, sous l'arc distendu du sourcil gauche. C'est alors que j'ai vraiment entendu ce que criait Célestin :

— A la fin, Julien, vas-tu me dire si, oui ou non, tu as volé cet argent ?

Je bondis hors de mon lit.

— Tu n'as pas tout ce qu'il te faut ici ?

Dans le couloir, un carré de lumière indiquait que la chambre des parents était restée ouverte. Peut-être fallait-il que nous entendions ? Ce qui se passait dans la chambre du fond était-il suffisamment grave pour que les parents veuillent nous y associer ? Rique s'était réveillé, lui aussi. Je sentais son souffle chaud sur mon cou.

— Qu'est-ce qu'il a fait, Julien ? chuchota-t-il.

Du fond du couloir, nous avons aperçu le visage de Julien, reflété dans l'armoire à glace. Ses cheveux rouges en bataille coiffaient un visage encore plus buté qu'à l'ordinaire, les yeux obstinément baissés sur ses chaussures de cuir fin.

La marche de la fenestrelle craqua sous le pas d'Amélie qui descendait dans notre dos. Elle cria :

— Regarde ce que j'ai trouvé sous son matelas !

Elle brandissait une liasse de billets. Nous découvrant en chemise de nuit, elle s'écria :

— Retournez au lit... Il n'y a rien qui vous concerne ici, heureusement.

Nous n'en avons rien fait, car le ton de sa voix, assez peu péremptoire, indiquait qu'elle n'était pas mécontente que nous assistions à la scène. Julien s'était mis à parler de sa voix heurtée. Il projetait les mots comme un chat qui souffle de colère, en rejetant souvent sa mèche en arrière.

— Vous savez bien pourquoi j'ai pris cet argent ! Vous savez bien que vous me le devez...

Il reniflait bruyamment.

— Même si je ne vous ressemble pas, j'ai la preuve. Sur le journal de guerre où vous avez tout marqué...

Je regardais Amélie qui marchait lentement vers nous. Ses mains tremblaient un peu et le sang avait quitté son visage. Pour la première fois, elle avait cette expression un peu rêveuse, relâchée et bonasse, par où j'ai vu qu'elle nous ressemblait et que nous étions bien ses fils. Elle nous étreignit dans un recoin de notre chambre et je sentis les soubresauts de sa poitrine. C'était bon, elle avait un visage baigné de larmes qui ne mentait plus. Nous pleurions tous les trois, en nous tenant serrés, quand un pas précipité se fit entendre dans l'escalier, puis la voix inquiète de Giuseppe :

— Patron, les pâtes courent ! Ça se baisse de partout, il faut enfourner vite et couper la dernière sinon...

Giuseppe se tenait dans la pénombre au bout du couloir, par discrétion.

Il avait tout compris depuis longtemps, Giuseppe, et attendait ce qui venait de se produire depuis cette nuit où, au retour du bal, il avait vu Julien habillé comme un prince. Giuseppe savait pour les trois costumes de prix, pour les sorties au restaurant avec des prostituées de Brive, pour la moto Terrot flambant neuve que Julien cachait dans la vieille grange près de la Sourdoire...

La chaleur de la chauffe rayonnait dans toute la maison. Mon père, les yeux bouffis, le geste ralenti, attachait un tablier autour de sa taille. Il nous fixa et dit d'une voix un peu raffermie :

114

— Heureusement qu'il y a Giuseppe, j'allais oublier le fournil.

Puis, s'adressant à Julien qui se balançait sur ses jambes de faucheux :

— Tu n'as plus rien à faire dans cette maison... Le mieux, c'est que tu devances l'appel. Je t'ai recueilli parce que vous me faisiez de la peine, toi et Clovis, à cause de la vie que vous meniez chez Sourzac.

— Parlons-en de Sourzac, rétorqua Julien. Heureusement qu'il était là, lui... De toute façon, ici, c'est un nid de rouges. Tout le monde sait que vous cachez un communiste recherché. Vous êtes tous sur la liste...

Et il disparut, à grandes enjambées. Mon père nous dit, la voix lasse :

— Dans le fond, ce n'est pas plus mal que vous ayez assisté à ça. Puisque vous êtes réveillés, vous allez me mettre des tabliers et descendre au fournil. On va essayer de rattraper les pâtes.

L'horloge de la cuisine indiquait quatre heures dix. Le fournil était pris de frénésie. Même les blattes accéléraient leur course molle, menacées par le ballet des sandales. Giuseppe courait d'une planche à l'autre pour découvrir les pâtons. Les couronnes se chevauchaient, poussées en fermentation sous leur serre de jute. Certaines avaient débordé de leur panier d'osier jusque sur le sol. Des petites taches bleuâtres piquetaient leur corps boursouflé. Une odeur âcre saturait le fournil.

Célestin, le front marqué d'un pli horizontal que je ne lui avais jamais vu, marchait à pas incertains, comme un boxeur sonné. Au lieu de crier, il bougonnait :

— Si elle n'est pas au four dans vingt minutes, elle est bonne pour la décharge, celle-là...

Le chant des grillons semblait donner la cadence au défournement. Je ruminais de sombres pressentiments à propos de cette fournée qui risquait de finir raclée dans des cageots, montée à la décharge dans la brume de l'aube. Pour un boulanger, c'était la honte absolue. Songer à la procession des pâtes pourries, traversant le village dans un sillage de senteurs sures, levait en moi l'image de notre communauté familiale mise en péril par la fermentation des sentiments. Heureusement, à intervalles réguliers, le son aigu et lourd des ferrailles malmenées à chaque ouverture du four, puis le trébuchement vif de la pelle remontant les pains dans un rythme endiablé me redonnaient confiance.

Quand l'aurore mit une palpitation bleuâtre aux vitres poussiéreuses, Giuseppe avait fini d'enfourner la « dernière », qui sortirait noire et plate. Les pains, trop levés, s'affaissaient sur la pelle, avec le chuintement d'aise d'une pâte moribonde qui n'aurait plus la force de se développer sous la cuisson, mais le pire était évité.

La lourde porte de derrière s'était refermée sur Julien qui avait quitté la maison, sur une dernière imprécation. Je façonnais, avec une curieuse sensation dans le ventre. Je plongeais mon poing dans le volumineux pâton blanc, dont la peau veloutée cédait avant que je la fisse tourner sur mes avant-bras. Après quoi, je jetais la couronne dans le panier en forme de chapeau mexicain.

J'avais presque oublié ce qui s'était passé cette nuit quand Giuseppe, pour rompre le silence, s'écria, l'air faussement enjoué :

— Un vrai petit arpète !

Mon père saisit la balle au fond. Il se tourna vers moi, se racla la gorge tout en roulant une cigarette, et dit :

— A propos, Cyprien... ta mère et moi t'avons trouvé une place en apprentissage à Nérac.

J'accusai le coup :

— A Nérac ! Pourquoi est-ce que je ne peux pas faire mon apprentissage ici ? Je sais déjà façonner et...

Ma mère me coupa la parole.

— Tu as besoin d'être discipliné par un patron.

Mon père approuva sentencieusement.

— Avant d'être capitaine, il faut être matelot.

Et Amélie :

— Tu as vu ce qui s'est passé, cette nuit, avec Julien ?

Interloqué, je criai à nouveau :

— Mais, je n'y suis pour rien, moi, si Julien est un voleur !

Ma mère avait repris son visage dur, le menton pointé vers moi :

— Tu n'y es pour rien. Mais, depuis que j'avais remarqué qu'il manquait beaucoup d'argent dans le tiroir de l'armoire de notre chambre, je te soupçonnais... Depuis que tu as volé dans mes tabliers, je n'ai plus la même confiance. Tu as besoin d'aller voir comment ça se passe chez les autres. Après, on saura vraiment de quoi tu es capable.

J'avais envie de pleurer ; je réussis seulement à demander :

— Nérac, c'est où, ça ?

Giuseppe me prit par les épaules, planta ses yeux noirs dans les miens, et me dit :

— C'est dans le Lot-et-Garonne, au bord d'une rivière, comme ici. Tu verras, c'est un ami à moi, un Italien de Bergame. Il t'a trouvé une place chez son voisin, un vieux boulanger très gentil.

Je tournais cette idée dans tous les sens. J'étais comme un oiseau pris au piège. L'envie me prit de courir me réfugier chez ma grand-mère, à La Martinie, mais je me souvins de ce que m'avait dit Anna, lors de ma fugue précédente : « Ton père, il en a bavé en apprentissage, mais c'est quand même là qu'il est devenu un homme. »

— Et Rique, il partira aussi ? demandai-je.

— Ton frère est trop fragile, répondit gravement Célestin, il ne supporterait pas la vie en apprentissage. Toi, ce n'est pas pareil, tu es presque un homme. Et puis, quand tu reviendras, tu nous apprendras la pâtisserie ; le père Brousse est une fine toque.

Le dimanche après-midi fut morose. C'était comme si je voyais le village pour la dernière fois. Rique, Robert et moi sommes allés traquer les salamandres dans les trous d'eau demeurés au bord du ruisseau, derrière la boulangerie. Mais ces jeux d'enfants ne me procurèrent aucun plaisir, et je ne ressentis pas le même frisson que d'habitude à sauter le mur qui nous séparait du château de Bournazel situé derrière la boulangerie et que bordait la Sourdoire. Devant ma mère, devenue indulgente, et qui devinait quel coup terrible j'avais reçu, j'ai vidé mes poches des salamandres mortes, dont le cerne doré des yeux avait pâli. Elles emportaient dans leur agonie l'image du village de mon enfance, réduit, sous la pluie d'automne, à un amas d'improbables couleurs.

8

La voiture suivait le vol des brisants blancs du ciel. Pli après pli, le paysage pelé composait, avec l'entrelacs de ses murets, une sentence amère à mon cœur de banni. Je me disais que le Causse demeurerait toujours indéchiffrable aux yeux des gens de la vallée. Je n'écoutais pas Célestin et Giuseppe, assis à l'avant, qui devisaient, heureux d'échapper pour deux jours à la galère du fournil.

Ils me conduisaient à Nérac, où m'attendaient trois années d'apprentissage. Le baiser de ma mère avait été tardif, presque froid. Elle ne m'avait embrassé qu'au tout dernier moment, alors qu'autour de l'automobile se trouvaient mes frères, mes cousins, mes copains et quelques femmes du quartier. Je pense aujourd'hui qu'Amélie se forçait à ne laisser transparaître aucune émotion. Tout juste m'avait-elle dit, effleurant mon front de ses lèvres :

— A Nérac, dis tes prières et obéis bien à ton patron.

Elle avait ajouté, avec un curieux sourire, où l'émotion ne perçait pas le masque léger de l'ironie :

— Surtout, là-bas, n'oublie pas le diable !

Qu'avait-elle voulu dire ? Mon esprit, embrumé par le chagrin, prêtait parfois aux propos maternels des doubles sens qu'ils ne contenaient pas. Front appuyé à la vitre, je tentais de lire mon avenir dans les formes compliquées, délimitées par les petits murs de pierres plates, en contrebas de la route.

Soudain, mon père me dit du même ton émerveillé que chaque fois :

— Regarde, Cyprien, c'est l'oasis du Causse !

C'est alors qu'apparut le Limargue. Le contraste fut saisissant : l'indigo du ciel d'automne sourdait de l'ombre mauve des ormes. Sans crier gare, mon pays passait d'un paysage de lune à l'éden. Le vert dru du regain colorait un vallon frais. Les lattes d'un pont claquèrent sous nos roues. Un ruisseau serpentait sous les alisiers qui abritaient une compagnie d'oisons. Très haut dans le ciel de septembre, deux busards ciselaient le ballet de leurs ombres jumelles.

Je me mis à envisager l'avenir avec davantage de sérénité. Puisque ma vallée venait ainsi me sourire jusqu'au milieu des monts acides du Causse, c'est qu'il y avait un avenir pour moi, un retour possible après l'épreuve du dépaysement. Dissipé mon désespoir d'enfant, je compris la phrase de ma mère.

— Surtout, là-bas, n'oublie pas le diable !

Me revint soudain en mémoire cette lubie qui m'avait pris la veille : mon père m'ayant ordonné de lui approcher du pétrin un sac de farine, l'idée folle m'avait saisi de me dispenser du diable, « cet outil de femme » qui sert à transporter les balles.

Après quelques instants d'hésitation, j'avais couché le sac sur ma nuque. La douleur avait été vive et la charge avait fait craquer mes os martyrisés. Pourtant, mon cou de douze ans avait tenu. Chancelant, je m'étais dirigé vers le fournil, en risquant de m'effondrer à chaque pas.

J'avais voulu basculer le quintal sur le tour, afin que mon père puisse le vider directement dans le pétrin en puisant à pleins bras dans la farine fraîche. Mais la balle, trop lourde, m'avait échappé et chu sur le sol dans un bruit d'étoffe rompue.

— Mille dieux, tu aurais pu te casser le cou !

C'était la première fois que Célestin me giflait. Mais tout de suite, dans son œil, il y avait eu cette lueur de fierté...

— Moi, je n'y ai touché qu'à partir de quatorze ans, avait-il repris. Je dirai au père Brousse de t'interdire de bouger les sacs sans le diable.

C'était donc cela le sens de la phrase de ma mère et de son sourire énigmatique... Ma propension à toujours interpréter ses propos comme des agressions dirigées contre moi me fit sourire. Je me sentais soudain capable d'affronter la rude vie d'apprentissage.

Je prêtais une oreille distraite aux propos de mes deux compagnons. Un homme venait de battre le record de Paris-Dakar en avion. J'ai entendu, en m'endormant, Célestin qui disait :

— Dommage que ce Mermoz soit un chef Croix de feu.

Un violent orage d'été avait éclaté pendant mon sommeil. Je me suis réveillé dans un autre monde. Une rivière jaunâtre et nerveuse nous escorta, jusqu'à notre entrée dans Nérac. Les vestiges gallo-romains, la mosaïque du parc, jalonné par des fontaines, l'alignement hautain des ormes et des cèdres dominaient le vieux quartier. La tour rescapée annonçait notre arrivée au château de Marguerite d'Angoulême et de Jeanne d'Albret. J'eus le sentiment, vite dissipé, d'être plongé dans l'histoire de France.

Une fois franchi le beau pont de pierre, le quartier historique était envahi de carrioles et de chevaux. C'était jour de marché. Un encombrement d'étals de maraîchers, de fûts de toutes dimensions, de charrettes de peausseries blondes. La voiture se faufilait au milieu de raccommodeurs de parapluie, de rémouleurs, de sabotiers. Des comédiens donnaient une farce place de l'Hôtel-de-ville. Giuseppe, en vrai fils de la *commedia del arte*, multiplia les pitreries pour me faire rire. Enfin, nous sommes arrivés devant une grande boulangerie blottie au cœur de l'antique cité. Un peu gondolé, son long toit de tuiles ne comportait pas moins de quatre « chiens assis ». L'accueil des patrons fut cordial. Après m'avoir montré ma chambre sous les combles, ils prièrent mon père et Giuseppe de rester à souper, mais Célestin déclina l'invitation, en prétextant que la table et le gîte étaient retenus chez Mario à « La Polenta », dans la ruelle voisine. Mon père, la casquette ombreuse, le pli vertical de ses joues un peu plus accusé, me prit par les épaules. Une lueur d'ironie tendre et triste aux coins des yeux, il dit, en forçant son ton bougonnant :

— Et ne profite pas d'habiter chez les protestants pour nous revenir rebelle...

Pierre Brousse, le patron, qui s'était tenu à l'écart jusque-là, lança d'un ton bonhomme :

— Rebelle, je ne sais pas, mais on pourrait bien te le rendre hâbleur... N'oublie pas que nous avons une Académie de menteurs, à Nérac, depuis le XVIIIe siècle.

Célestin ne répondit pas. Le grelot de la porte retentit : mon père avait écourté les effusions. Le père Brousse, sentant dans ma gorge cette boule qui ne se décidait pas à crever en sanglots, m'emmena dans les dépendances, derrière la boulangerie, voir les chiens de chasse.

Mes premiers mois d'apprentissage apaisèrent mes appréhensions. Je découvris en Pierre Brousse un autre Célestin. Son premier geste avait été pétri de symboles. Il m'avait dit, un sourire malicieux remontant le coin de ses moustaches, qu'il portait frisées, pointes vers le haut :

— Voici ta lame de fournier... Et défense de m'y mettre une lame Gillette par-dessus... Ça coupe peut-être mieux, mais ici, on est au pays des mousquetaires.

Je l'avais regardé, incrédule, retournant l'objet dans mes doigts. La lame étincelait de son acier bleu profond. J'ai demandé, interloqué :

— Vous voulez que je taille la pâte avec ça, sans lame à raser ?

— Pourquoi pas ! m'avait-il répondu, rejetant en arrière la toque pâtissière dont la blancheur soulignait son teint brique. Ici, on taille la pâte, on ne la coupe pas. Il te suffira de l'aiguiser chaque jour... Quand elle sera devenue fine et cassante, c'est que ton apprentissage sera terminé.

Comme j'avais dû conserver l'air bien sot, Brousse était parti d'un rire qui avait vite dégénéré en une mauvaise toux. Le patron avait été gazé pendant la guerre et la farine lui jouait de sales tours.

En me confiant ma première lame, Brousse m'offrait « la clé du cœur » de sa boulangerie. Car qui coupe la pâte, manœuvre le four. C'est pourquoi, à l'heure de la sortie de la messe, les mitrons d'alors sortaient parfois sur le seuil de la boulangerie et dévisageaient les filles, une lame négligemment coincée entre les dents.

Chez moi, mes parents, peut-être à cause de l'incendie du fenil, ne m'avaient jamais confié ni la chauffe ni l'enfournement. Je n'aurais pas été capable de manœuvrer le lourd gueulard de fonte qui, dans notre four à bois, servait à orienter la flamme. Aussi avais-je dû, jusqu'alors, me contenter des tâches subalternes de l'étage inférieur : bourrer le foyer, balayer les cendres.

Sous la férule de Marcel, le chef fournier, je fus initié à des gestes de professionnels. Je cachai à ce « brigadier » chevronné, ancien patron devenu alcoolique, que chez moi on chauffait encore au bois. Le four de la boulangerie Brousse était très différent de celui de mon père. La gueule en rutilait de tous ses cuivres neufs.

Le moment venu de mon premier enfournement, d'un geste plein d'assurance feinte, je saisis la poignée brillante de la porte de fonte du four. Elle se manœuvrait avec la main droite à l'ouverture et la main gauche à la fermeture. Le métal des huisseries était neuf et la porte ne faisait pas le même bruit de fer martyrisé que chez moi. J'ai gardé le souvenir de la première fois où je reçus en pleine face l'haleine torride du monstre. Je m'étais penché, tenant dans ma main gauche la torche sous son mica blanc ; elle éclairait un trajet droit où la lumière elle-même paraissait en fusion. J'ai senti sur mon cou le souffle vinassier de Marcel, qui me disait, de sa voix éraillée :

— Tu feras attention en chauffant, il y a de quoi faire sauter tout le quartier avec ça.

Il me désignait du pouce le compresseur et la citerne bleue dans la cour. Je pris conscience qu'une maladresse eût endommagé le Nérac historique. Une sueur glacée ruisselait le long de mon échine. J'ai rabattu le bras amovible des brûleurs jusqu'à la bouche et j'ai voulu ouvrir les mollettes d'arrivée du combustible. J'ai entendu Marcel hurler dans mon dos :

— Enflamme ton journal d'abord. Ma parole, tu veux m'obliger à racler le mazout sur le sol !

Mes jambes menaçaient de se dérober sous moi. Je pensais soudain que j'avais eu tort de refuser le cassoulet, lors du repas de 3 heures du matin. Mon père disait toujours qu'il fallait alimenter beaucoup « la chaudière humaine » pour le travail de nuit.

J'ai enflammé un exemplaire de *La Dépêche* et présenté la flamme aux brûleurs. Au silence qui s'était fait soudain, je sentis qu'une tension avait saisi le fournil. La première explosion se produisit au ras bleu du brûleur. Puis, ce fut la seconde, et l'éclair, projetant la boule de feu jusqu'au fond de la sole... Le bruit continu de la nappe sonore s'épanouissait dans le fournil. Rien à voir avec le crépitement désordonné du four de mon père. A présent, chacun vaquait à ses occupations, courbé et apaisé, l'esprit doucement chaviré de reflets orangés.

Même Marcel s'était éloigné, hurlant pour se faire entendre :

— Si la flamme vire au rouge, tu m'appelles tout de suite !

Je me sentais rasséréné et fier. J'avais grandi d'un coup, sans effort ni magie, grâce à la confiance de Pierre Brousse. La seule ombre au tableau fut la farine gasconne. Elle eut un effet désastreux, bien que progressif, sur l'état de mes bronches. Je fus souvent secoué dans mon galetas par d'interminables quintes de toux. C'est dans ces moments-là que Célestin et mes frères, le carrefour, ma mère et son affection dissimulée me manquaient.

Mes débuts à Nérac ont donc été plutôt heureux. Pourtant, l'euphorie relative de cette première période d'apprentissage fut de courte durée. La santé de Pierre Brousse le contraignit à vendre la boulangerie à un jeune homme de vingt-six ans, Paul Rebeyroux, originaire d'un hameau voisin.

Neuf mois s'étaient écoulés. J'allais avoir quatorze ans. La volée des cloches annonçait la fin de la messe dominicale. Nous mettions à profit, sous le porche de la boulangerie, le loisir que nous laissait le « pointage » de la dernière. Dans cette ruelle étroite, nous humions avec volupté le sillage, embaumé et frais, des prudes villageoises. Le nouveau patron n'aimait pas ces petites libertés.

Il nous passait en revue, comme un officier fraîchement galonné inspecte ses troupes. Il est vrai que nous n'étions pas tous très réglementaires. Marcel, bras ballants, le tricot de peau jaunâtre, le nez fleuri, sentait fort le vin. L'autre commis, Honoré, supplétif aux chemins de fer, l'œil bleu narquois, cigarette coincée sur le haut de l'oreille, avait l'air du malin qui se fera oublier à la première occasion pour aller piquer un somme dans la cambuse. Virginie, la vendeuse, que l'on appelait, bien entendu, « Nini », méritait son second surnom de « Mademoiselle Balsamorinol », car son nez coulait en permanence et elle abusait des fumigations. Quant à moi, le jour de cette inspection, j'étais déchiré par cette toux, qui annonce qu'on ne vieillira pas dans le métier.

Rebeyroux, avec sur le visage l'expression infatuée qui ne le quittait jamais, déclara :

— J'ai l'intention de remonter la boulangerie... Brousse était trop malade pour avoir l'œil au fournil... Moi, ça sera le contraire. Je laisserai le laboratoire à ma femme et à un pâtissier que j'embaucherai, et je passerai une partie des nuits avec vous. Et il faudra que ça tourne !

Sa voix, qu'il voulait impérieuse, dérapa. Nous nous sommes tous regardés. Sans un mot, Marcel a viré son calot en signe de mécontentement. Adrien, mégot au coin de la bouche, a pris son air absent, pendant que Nini reniflait de plus belle.

Dans les jours qui suivirent, Rebeyroux a décrété deux fournées supplémentaires. Il avait obtenu de fournir en pain les deux écoles de la ville. Il a fait l'acquisition d'un nouveau pétrin amovible, afin de pouvoir brasser une fournée pendant que la précédente « pousserait » dans la première cuve. Le climat du fournil s'est alors détérioré. Rebeyroux, qui n'avait jamais été boulanger, ne pouvait pas le savoir : dans ce métier de nuit, le repos se prenait par fragments quand les pâtes, dans leurs paniers ou sur leurs couches, « travaillaient à notre place ». Nous vaquions alors à de vagues besognes, l'esprit chaviré de sommeil. Il fallait, par exemple, mettre à sécher sur la chape de sable torride au-dessus du four les couches amidonnées, rêches comme de la peau d'éléphant. Il n'était pas interdit, alors, de faire un petit somme, bercé par le grésillement des grillons. Ces alvéoles de calme dans une nuit de bruit et de galopades nous furent volées par l'accélération des cadences de travail. Cela fut d'autant plus sensible que le patron nous avait ordonné d'émietter dans le pétrin, non plus un, mais deux blocs de levure « L'Hirondelle », dont l'odeur aigre arrachait une grimace dégoûtée à Marcel. Celui-ci, malgré son vice, était un vrai boulanger. Le fournier savait qu'il allait défourner un pain terne, trop vite poussé, à la grigne aplatie comme une cicatrice ; un pain qu'il n'oserait pas tapoter du doigt, sachant d'avance le son mat et ridicule qui en résulterait. C'est à ces détails que se jugeait alors la santé d'une boulangerie. Ainsi, les pains furent désormais jetés dans le chariot de fer sans un regard du fournier, et acheminés au magasin comme s'il s'agissait de ces produits manufacturés dont l'épicier garnit sans passion les rayons de son échoppe.

En outre, le patron avait décidé de ramener le nombre de bouteilles de vin à trois par nuit et par commis adulte. Le fournier, qui en buvait de six à huit selon les saisons, aurait droit à quatre bouteilles, compte tenu des particularités de son poste de travail. A l'annonce de ces restrictions, Marcel avait eu un rictus de mépris. Il avait dit d'un ton bravache :

— Aucun problème pour moi... Je crois que je vais me mettre à la limonade.

Il n'empêche, Marcel devait ressentir douloureusement les réformes apportées par Rebeyroux. Son tête-à-tête avec les cent cinquante degrés de la bouche du four avait quelque chose de l'exploit du dompteur qui met sa tête dans la gueule du tigre. Il achevait les enfournements, trempé, la face violacée, les yeux gonflés, le souffle rauque. Ses jambes fines le portaient d'un pas furtif, après chaque planche qu'il enfournait, jusqu'à sa bouteille de vin mise à rafraîchir dans un seau d'eau près du pétrin. Ce rationnement n'assouvissant plus « la grande soif du petit matin », comme il avait coutume de dire, Marcel dut aller « se compléter au gros plant » dès l'ouverture de « La Polenta ». Il revenait, la démarche incertaine, chancelant, ayant avalé cinq verres d'affilée, « sans parler à personne », affirmait-il, manière d'attester qu'il venait simplement de « faire tomber la poussière ». Pas une fois Marcel ne s'attarda à l'auberge au point de manquer « la couleur » de sa fournée. Ce jet de buée, projeté en pressant le bouton d'un réservoir de cuivre, devait intervenir à l'instant précis où les pâtes en avaient absolument besoin pour s'épanouir en dorant. Si ce geste était fait un instant trop tôt ou trop tard, le pain s'aplatissait et se carbonisait. Marcel « envoyait la couleur », avec la solennité d'un conducteur de train à vapeur, donnant au convoi le signal du départ. Rebeyroux, en regardant ce geste, soupirait, envieux du savoir-faire du vieux fournier.

Ce jour-là, Marcel chauffait « la troisième ». Le fournil ronronnait, lové dans la coulée sonore. La chauffe s'achevait et Marcel tourna les manettes d'alimentation des brûleurs. Les grandes flammes semblèrent regagner docilement leur logis de bronze, quand soudain, trois lourdes pétarades, suivies par un éclat bleuté, retentirent au fond de la sole sombre. Marcel sursauta. Le silence qui suivit dura plus longtemps qu'à l'accoutumée, après l'arrêt des brûleurs. Les grillons eux-mêmes furent moins prompts que d'habitude à reprendre leur concert.

— Eux aussi, ils ont eu peur, nota sobrement Adrien.

Marcel avait déjà démonté les gicleurs et il nous lança d'une voix lugubre :

— Ils sont complètement encrassés ! Mauvais, ça.

Quand le patron descendit au fournil, Marcel lui relata l'incident et observa :

— Du temps de Pierre Brousse, c'était le patron qui nettoyait les brûleurs tous les lundis après-midi.

Visage buté, Rebeyroux rétorqua sèchement :

— Dis-moi, Marcel, le fournier, c'est toi ou c'est moi ?

Le vieux commis bougonnait, indigné qu'un blanc-bec vienne contredire une règle qui prévalait dans toutes les boulangeries de la région : le réglage et le nettoyage des instruments de chauffe du four étaient de la responsabilité du patron.

L'après-midi même, au lieu de dormir, Marcel et Adrien s'étaient rendus à Agen, où se tenait une permanence du syndicat local de la CGT. Il leur fut confirmé que, selon tous les usages, l'entretien des circuits d'alimentation du four incombait au patron. Il s'agissait là d'un travail de technicien, et non pas d'ouvrier boulanger. Cette prise de contact avec le monde syndical coïncidait avec une période bien particulière de l'histoire de notre pays. Nous avions senti des modifications du climat social, sans vraiment en prendre la mesure. Les discussions avec Mario, l'ami de Giuseppe, lors des moments que je passais en sa compagnie, à la cuisine de « La Polenta », m'avaient fait m'intéresser à la remilitarisation de la Rhénanie par Hitler. Mussolini venait d'écraser l'Ethiopie. Le dictateur italien était omniprésent dans les propos de comptoir du bar de Mario, où se retrouvaient des Italiens de tous les milieux sociaux, des ouvriers des chais d'Armagnac, des cheminots qui posaient la ligne Nérac-Bordeaux, des journaliers agricoles...

Je savais également, par des lettres de Célestin, que ses anciens compagnons de Salonique, regroupés dans la Cagoule, autour de Franchet d'Esperrey, fomentaient un coup d'Etat anticommuniste au sein de l'armée française. Les résultats des élections du mois d'avril de cette année 1936 dans le Lot-et-Garonne avaient surpris tout le monde. Hormis « la ceinture rouge » de Paris, ce fut le seul département à donner plus d'un quart des voix aux communistes. Le quartier historique de Nérac était en effervescence. Un rassemblement eut même lieu au mois de juin sur la place du Château.

Venu de Toulouse, un jeune mitron y avait témoigné avec émotion des conditions de travail dans les boulangeries en sous-sol des grandes villes.

Les ouvriers boulangers, tout au long de leur vie, ne voient des femmes « que les bas de robes effleurant leur soupirail », expliquait-il.

L'image avait déclenché une hilarité de connivence, mais Marcel, Adrien et moi savions quel poids de frustration elle exprimait.

Les manifestants s'étaient progressivement déployés dans les ruelles. Médusés, les ouvriers des chais étaient sortis en clignant des yeux, et s'étaient mis à cogner sur du fer-blanc avec leurs marteaux de bois. Les employés de la poste avaient suivi les facteurs, certains lestés de leur lourde mallette de bois, comme s'ils avaient été happés par le mouvement. Leurs casquettes rigides, bleu foncé au liseré rouge, apportaient une note militaire au défilé. Les cheminots grimpaient le raidillon sombre et pavé. Ils paraissaient nombreux et chantaient *L'Internationale* à plein gosier, m'arrachant un sanglot de fraternité. Ils avaient marché depuis leur chantier des bords de la Baïse. Eux aussi avaient suivi la rumeur portée par les flots. Ils avaient un peu bousculé les gendarmes massés au bas du village. La grève était illégale et plusieurs avaient encore à l'épaule la terrible masse de chantier qui leur avait servi de passeport. Adrien était entouré par tout un groupe d'hommes en sueur et scandant joyeusement : « Les mitrons avec nous ! »

Sous un soleil déjà estival, le rassemblement baignait dans une fraternité joyeuse. C'était la première manifestation à laquelle je participais sans mon père ni Giuseppe pour m'aider à décrypter les événements que je vivais ; aussi une impression de liberté, si grisante qu'elle me faisait un peu peur, s'empara-t-elle de moi.

Je ne connaissais personne, mais pour la première fois depuis mon départ du village, je me sentais chez moi. La foule piétinait en réclamant de l'argent pour vivre et du travail pour les enfants. Il me sembla que les bruits, le remugle des corps transpirant sous le soleil que j'avais si rarement l'occasion de goûter, me ramenaient aux temps bénis du carrefour. Ce défilé fraternel m'ouvrait aussi un avenir. A la façon qu'avaient ces gens de se parler sans se connaître, je me dis qu'il y avait là comme une famille spontanée. Avant que la rumeur nous cueille au fond des ateliers ou des chais, nous étions des inconnus les uns pour les autres. Une marée bigarrée et heureuse encerclait maintenant le château. Beaucoup levaient les yeux vers sa tour unique. Une forte voix d'homme exigea :

— Jeanne d'Albret, avec nous !

Dans l'embrasure d'une fenêtre à meneaux, une jeune fille saluait timidement. C'était une femme de ménage, jolie me sembla-t-il. Une salve d'applaudissements avait suivi son apparition.

— Vive la reine ! La reine avec nous !

Peu après, trois très jeunes femmes sortirent, plumeaux à la main, tapant sur des seaux métalliques, déjà accordées au pas de la foule et au tohu-bohu qui, à présent, emplissait toute la petite ville. Les patrons des chais avaient battu en retraite, menacés par les grandes masses des ouvriers du rail. Les gendarmes invisibles, repliés dans leur corps de garde vétuste, devaient peaufiner d'impeccables rapports sur la situation. Il faisait beau. Les petits nuages blancs avaient été chassés par la brise. La chaleur était supportable. J'ai bu le quart de fer-blanc que me tendait un garçon aux traits délicats. L'armagnac a roulé dans mon gosier comme une boule de feu. L'adolescent me souriait en me regardant boire. Puis, à cause du brouhaha, il hurla pour se faire entendre :

— Vive la grève qui fait sortir de leur cave les jolis mitrons !

Un mouvement de foule m'ayant serré contre lui, je sentis contre mon épaule nue s'écraser des seins.

Je fus troublé par la féminité de cet être, habillé en garçon, aux cheveux presque ras. Inclinant ma tête, elle me murmura à l'oreille :

— Il y a longtemps que je n'ai pas passé la nuit au fournil, vivement le prochain orage.

J'étais de plus en plus troublé : l'alcool, le soleil, la fraternité, c'était comme à la fête de la Saint-Jean à Vayrac. Et puis, la révolution et cette androgyne qui m'entraînait dans une Carmagnole endiablée...

Nous n'avions pas dormi mais je ne sentais pas la fatigue. Rebeyroux s'était levé, livide de colère. Marcel, en notre nom à tous trois, le mit devant ses obligations et lui signifia qu'aucun ouvrier ne prendrait la responsabilité de l'entretien des brûleurs. Rebeyroux avait hurlé que nous étions des feignants qui se laissaient monter la tête par des agitateurs communistes. Chacun était demeuré sur ses positions. Le four avait continué de pétarader et de jeter sa longue flamme bleue, chaque fois que le fournier lançait la chauffe.

9

Nos nuits étaient plus légères au fournil : les accords Matignon venaient de doubler les salaires des mitrons et d'instituer les congés payés. La nuit, le patron n'apparaissait plus guère, depuis qu'il avait échappé de justesse à une grève avec occupation. D'ailleurs, Rebeyroux présentait en permanence la face de carême d'un homme qui regrette de s'être établi à son compte. Nous avions appris par sa femme qu'il cherchait à revendre la boulangerie pour revenir à l'agriculture.

Cette nuit-là, avait éclaté un violent orage d'été. Depuis plusieurs heures, il jetait des zébrures violettes au travers de la lucarne du fournil. La porte s'ouvrit brutalement, devant une jeune fille dégoulinante de pluie, visiblement terrorisée. Sa voix ne m'était pas inconnue. Les yeux verts, où passait quelque chose de narquois malgré la frayeur qu'ils reflétaient, me firent reconnaître la belle inconnue qui m'avait aussi joliment grisé le jour de la manifestation. Elle expliqua qu'elle ne pouvait pas dormir seule sous l'orage. Les deux commis ne paraissaient aucunement surpris, et Adrien lui dit :

— Si tu veux dormir, il y a toujours les sacs dans la cambuse ; ils t'attendent depuis la dernière fois. Ou bien si tu préfères rester et nous faire passer les pains fantaisie...

Son visage était fin, encore rétréci par sa chevelure plaquée par la pluie :

— Je reste ici... Même dans la resserre, j'aurais peur du tonnerre.

Elle s'était prestement débarrassée de sa vareuse d'homme et, d'un geste gracieux, avait entouré trois fois sa taille menue des cordons d'un tablier blanc. Sous son chemisier mouillé, pointaient ses seins qui devaient être libres, ceux d'une toute jeune fille. Les seins de celle que les deux commis appelaient familièrement Rosette attiraient mon regard, comme jadis les lourdes poitrines des femmes qui allaitaient, en compagnie de ma mère, sur le banc de notre boulangerie. Je prétextai l'inexpérience de Rosette pour venir l'aider à cueillir les pâtons bien levés. Il me fallait, pour cela, passer derrière elle, lui tenir le poignet gauche. L'odeur de ses cheveux mouillés m'étourdissait. Je réprimais un violent désir de mordre le cou clair et humide. Le grain de sa peau était aussi fin que celui des pâtons que nous venions de découvrir de leur toile de jute. Rosette irradiait une beauté étrange pour l'époque. L'indéfinissable masculinité de sa posture, du regard qu'elle plantait dans le vôtre, faisait sur les garçons une profonde impression.

Une fois l'enfournement achevé, la jeune fille ruisselait. Ce n'était plus de la pluie, à présent, mais des gouttes de sueur, qui perlaient sur sa peau. Elle m'expliqua qu'elle habitait une mansarde de l'autre côté de la rue. Ouvrière aux chais d'Armagnac, sans famille, elle habitait seule et le feu du ciel, lorsqu'il claquait sur les ardoises de sa soupente, la jetait dans une terreur animale. Rosette ne s'adressait qu'à moi. Marcel et Adrien paraissaient trouver cela naturel. Je surprenais parfois les clins d'œil de connivence qu'ils échangeaient, sans lever la tête de leur façonnage. Dans le fournil, le temps semblait suspendu. Je travaillais comme un automate, m'efforçant de ne pas garder les yeux braqués sur l'adolescente qui s'essayait au façonnage des baguettes.

Comme elle boulait à côté de moi, je regardais les deux mamelles, bien plus fortes qu'on ne l'eût supposé, balançant d'un mouvement sans mollesse. Se retournant vers moi, elle me demanda sur un ton effronté :

— Veux-tu que nous allions faire un tour dans la cambuse ?

Je ne sus que répondre. Alors Rosette me prit par la main et m'entraîna dans la pièce qui sentait le grain et le salpêtre. Puis, s'adossant à une balle de farine, elle m'attira à elle dans la pénombre. Comme elle m'embrassait, je sentis sa main tâtonner sous mon tablier. Nous travaillions nus les nuits de canicule. Cela n'avait rien d'outrageant, car la taille était complètement enveloppée du très ample tablier de boulanger. Elle avait fait glisser sur ses jambes son pantalon d'homme et m'avait guidé d'une main sûre. De retour au fournil, pendant que la « troisième » levait, elle m'a demandé si j'avais une promise. Je répondis que non, et le visage de Rosette s'éclaira. Mais le joli pli de ses fossettes me faisait un peu peur, tant je décelais de rouerie et de maturité chez cette jouvencelle, de trois ans plus âgée que moi.

Elle me dit sur un ton déterminé :

— Puisque tu es libre, tu viendras demain avec moi, au concours des menteurs ?

Marcel et Adrien éclatèrent de rire, et l'un d'eux assura que l'on aurait du mal, dans tout le Néracois, à trouver une plus fieffée menteuse que Rosette. La remarque me déplut. L'idée me vint que celle qui venait de me faire vivre des instants indicibles avait pu accorder de semblables félicités à mes deux compagnons de fournil. Sur le coup de trois heures du matin, l'orage, qui avait paru se calmer, redoubla d'intensité ; la sirène des pompiers avait hurlé à plusieurs reprises et nous étions, tous deux, sortis sur le seuil du fournil. Rosette était encore plus belle sous les longues balafres des éclairs.

Le travail, on s'en doute, avait pris quelque retard... Marcel se préparait à chauffer pour la dernière. Je ne voyais que Rosette et ne prêtais aucune attention à la cascade de ratés qui sortaient du four. Soudain, une explosion fit voler les linges qui séchaient sur les longues pelles. Tout le fournil se figea. Marcel, projeté contre le mur d'angle, paraissait commotionné. Les brûleurs semblaient avoir avalé les flammes et des fumerolles blanches bavaient à l'entrée de la bombarde du four. Pourtant, il fallait cuire la « troisième ». Les pâtes s'étaient toutes collées et risquaient de pourrir. La chaleur de cette nuit d'orage et le ralentissement du travail rendaient la chauffe urgente. Marcel hurlait en tapant son calot sur sa cuisse :

— Cette fois, il l'allumera lui-même son four, je n'y laisserai pas ma peau !

Adrien roulait une cigarette. Son visage avait cette expression « de passage », comme chaque fois qu'il y avait une décision à prendre. Rosette s'était approchée de la gueule noire, où les brûleurs fumaient encore. Elle demanda de sa voix flûtée, faussement ingénue :

— Vous êtes sûrs qu'il faut une fournée de plus ?

Marcel enlevait et remettait sans cesse son calot, ses mains tremblaient : il avait épuisé sa provision de vin et « La Polenta » n'ouvrait que dans deux heures. Rosette nous regardait. Il y avait du mépris et une nuance de défi dans ses yeux.

— Je vais vous l'allumer votre four, moi, si ça vous fait peur !

Elle avait déjà empoigné une page de *La Dépêche*, roulée en boule. Je me sentais profondément humilié : laisserions-nous prendre le risque de la mise à feu de ce four dangereux à une gamine qui n'était même pas du métier ? Je bondis sur Rosette, lui arrachai le rouleau de papier. Je rabattis les brûleurs vers moi, tournai la molette d'arrivée du gaz pour commencer par enflammer le côté gauche, car j'avais remarqué que les pétarades venaient de celui de droite. Puis, d'un geste martial, je fis signe à Rosette de reculer. Je n'entendais plus les deux vieux et j'en déduisis qu'ils s'étaient mis à l'abri. L'instant était solennel et grisant. Au moment où je sentis l'odeur de la nappe de gaz qui s'était répandue autour des brûleurs, l'énorme boule de feu bleu et jaune refluait du fond de la sole, jusqu'à la gueule du four, et l'explosion du compresseur fit un bruit qui me projeta, inconscient, au fond du fournil.

Autour de mon lit, des fakirs déambulaient à pas comptés, ralentis, comme en méditation : des hommes la tête enserrée dans un bandeau. Ma propre tête, où semblaient s'être donnés rendez-vous tous les cyclones de la Jamaïque, était-elle entourée du même turban ? Je la tâtai pour m'en assurer : oui, j'avais moi aussi un énorme pansement qui maintenait mon crâne, du front à la nuque, passant sous les oreilles. Les bruits me parvenaient assourdis, cotonneux, et ce bourdonnement permanent, c'était comme si le feu chauffait encore, sans discontinuer. J'avais distingué quelques mots de l'exposé fait par un médecin chauve, en blouse blanche, devant une petite troupe d'autres blouses blanches : four boulanger qui explose, accident banal, trépanation, évacuation de l'hématome intracrânien... Dès que je fermais les yeux, les flammes revenaient. Dans les moments d'accalmie consécutifs à la piqûre, la flamme se faisait crépitement, parfois tapissé de ce pétillement blond du four de mon père. La figure de Célestin me souriait, lame plantée au coin des lèvres, comme une fleur à la bouche. Puis, peu à peu, m'envahissait, musique énigmatique, la phrase de ma mère :

« Et surtout, à Nérac, n'oublie pas le diable. »

C'était donc cela, l'enfer ? Je suis revenu seul par le petit train à vapeur. Mon père était cloué au lit par une de ces crises de palu qui le terrassaient périodiquement. J'avais appris par Marcel que Rosette, après une courte période d'hospitalisation, avait quitté la région. Mes trois compagnons de fournil n'avaient été que légèrement contusionnés dans l'explosion dont j'avais été l'artificier involontaire. Le train à vapeur haletait en gravissant les marches escarpées du Quercy. Il jeta soudain un coup de sifflet qui retentit dans toute la vallée, levant les vieux corbeaux de l'abri des noyers roux. J'étais de retour au pays... Cette idée me gonflait la poitrine. Comme un rideau de théâtre s'écarte, révélant un décor trop beau pour être vrai, le cingle de Montvalent apparut avec son clocher fortifié juché sur son piton bleuté. Ensuite, le long vibrato du sifflet a inondé les vallées ouvertes par la Tourmente et la Dordogne, comme deux jambes douces, aux frissonnements d'herbes tendres. A présent, la chape des nuages s'était volatilisée. Tout était là, mon pays dans son immuable beauté. Les falaises claires du Puy d'Issolud dérivaient, comme des icebergs dans l'eau du ciel bleu. Le soleil déclinait lorsque le train entra en gare de Saint-Denis. Sitôt descendu, j'aperçus la silhouette massive de mon père, assis dans le char à banc. Je me suis dit qu'il devait être bien mécontent de moi, pour n'être pas venu me chercher sur le quai. Mais j'ai compris tout de suite, à son teint livide et à ses traits défaits, qu'il était au bord de l'épuisement. La crise de paludisme n'était pas terminée. Je connaissais ce visage de vieillard en proie aux fièvres. Sous mon poids, l'assise et les brancards ont plié plus bas qu'auparavant. Il m'a dit en m'embrassant :

— Tu n'as pas maigri, c'est bien.

Il y avait de la fierté dans sa voix fatiguée.

Les claquettes du trot du mulet m'ont surpris un instant, avant que je me souvienne : le pas lourd d'Artaban ne résonnerait plus à mes oreilles. Cette pensée m'a serré le cœur. Depuis mon départ, tout avait rétréci. La gare de Saint-Denis elle-même me semblait soudain minuscule. Ou bien était-ce moi qui avais grandi ? Mon enfance était loin, désormais.

— Ils ont signé des accords, là-haut, à Matignon...

La voix de mon père me sortit de ma rêverie. Je m'attendais plutôt à ce qu'il me questionnât sur Nérac, mon apprentissage écourté, l'explosion du four. J'avais un peu oublié cette façon qu'il avait de n'évoquer les questions graves qu'après la décence d'un long silence ou de propos convenus. Il m'amena sur le sujet au terme d'une parabole qui fut longue à venir. Lorsque l'échine du mulet tressaillit sous le fouet, je compris que nous avions quitté la route vers Vayrac. Les chênes, bordant la montée du Crouzouli, commençaient à s'assombrir, car le soleil, rougeâtre, se mourait sur le lointain Limargue. Après que j'eus tenté d'évoquer la profonde impression que me laissait le souvenir de la manifestation de Nérac, mon père, retrouvant un timbre de voix presque aussi rond et impérieux qu'à l'accoutumée, me dit :

— Tu n'es pas un ouvrier, Cyprien, n'oublie jamais ça !

Dans l'ombre légère sous la lune, mon père souriait. C'était étrange comme, de profil, il savait sourire vraiment, sans que la fameuse petite lueur de moquerie ne vienne voiler son sentiment profond. Malgré la rudesse de mon père, l'amour filial avait toujours trouvé son chemin en moi. Ce soir-là, sous le tremblotement des étoiles, se dessinait une connivence nouvelle, soufflée par les odeurs de lavande des causses proches. Mon père a formulé ce que je ressentais :

— C'est une vraie nuit de boulangers.

C'était, en effet, une de ces nuits à besogner dans la torpeur âcre du fournil. Une nuit où, sortant tirer de l'eau fraîche au puits, on est assailli par cette vie du ciel, ces souffles, ces clignotements, cette pureté de l'air réservée à certains poumons. Mon père continuait de parler ; je ne distinguais de lui que le rougeoiement de sa cigarette.

— Tu sais, Cyprien, dans une boulangerie, il faudra toujours un patron. C'est bien parce que Rebeyroux n'a pas joué son rôle que ce malheureux accident de four a pu se produire. Je voudrais que ça te serve de leçon... Bientôt, chez nous le patron, ça sera toi.

Il ajouta, avec ce baryton soudain retrouvé de sa voix :

— Peut-être plus tôt qu'on ne le pense...

Comme il disait cela, l'ombre d'un grand oiseau de nuit est passée sur sa face.

L'année 1936 se terminait. Six mois s'étaient écoulés depuis l'éblouissante manifestation de Nérac. Le « quartier bas » avait fêté mon retour.

M'apercevant torse nu sur le trottoir de la boulangerie, Albertine s'était écriée : « *Boun diou ! qué tié vengu bel !* » (« Bon Dieu, que tu es devenu grand ! »). Mais elle n'avait pas osé, comme autrefois, me serrer dans ses bras, et m'avait tendu la main.

Je retrouvais avec joie mes deux frères. Le petit René avait de beaux yeux bleus aux coins moqueurs, de longues jambes, une carrure très au-dessus de son âge. A sept ans, il avait déjà une petite bouille de dur de film américain. Il plantait sans ciller son regard dans le vôtre. Notre petit frère avait l'allure d'un gamin qui n'aurait jamais à s'agenouiller sur des coquilles de noix, pour n'avoir pas réussi à vendre le journal du curé. Rique, mon frère aîné, toujours aussi gentil, m'avait retrouvé avec un plaisir redoublé du soulagement de n'avoir plus à subir seul les avanies d'Amélie. Son visage était devenu beau. Son teint mat et son hâle donnaient à sa face ronde un air sain et jovial. Sa chevelure noire et luisante, ses yeux noisette où se lisait son incapacité à faire du mal lui attiraient la sympathie de tous. Pourtant, il avait beaucoup grossi pendant ces deux ans. Son tour de taille préfigurait déjà son destin de grand obèse, et mes parents avaient renoncé à exiger de lui un travail de nuit qui lui était trop pénible. Ma mère m'avait accueilli avec une certaine froideur qui ne m'avait pas surpris, mais dont j'avais souffert, sans le laisser paraître. Elle m'appelait « Ravachol », pour signifier son agacement face à l'enthousiasme avec lequel, à la demande de Giuseppe, j'avais relaté à maintes reprises la manifestation de Nérac.

Elle n'avait fait qu'une allusion à l'accident du four, sur un ton détaché, un peu moqueur :

— Tu noteras qu'on a fait installer un four à mazout, nous aussi, pendant ton absence. Je te signale que c'est ton père qui nettoie tous les lundis l'allumage. Il ne devrait pas y avoir de problème.

A tort ou à raison, j'ai pris cette remarque comme

143

un défi. L'accident de Nérac ne m'avait pas laissé indemne. Destiné à espacer les corvées de bois, le four à mazout demeurait une innovation redoutée ; Giuseppe, par exemple, ne s'était pas encore bien familiarisé avec cette méthode de chauffe. Le nouveau four avait pris une place prépondérante dans les préoccupations de la maisonnée. Dans celles du « quartier bas » aussi, car, contrairement au four à bois, il s'entendait jusqu'au carrefour... et il faisait peur. Ma mésaventure de Nérac était connue. Prendre le relais de mon père, devenir le patron, c'était donc, avant tout, maîtriser le double jet de cette flamme de quinze mètres de long. Il m'a fallu apprivoiser le tremblement de mes mains à l'instant d'enflammer les brûleurs. Le même souvenir traversa pendant des années mon cerveau : le regard vert admiratif de Rosette suivi d'une explosion blanchâtre. Je pris l'habitude de faire ce dont mon père n'avait pas pu mesurer l'importance : démonter, chaque lundi après-midi, les gicleurs pour les décrasser soigneusement.

A présent, Célestin avait besoin d'entrecouper ses nuits au fournil de sommes sur un sac, au coin du four. Une nuit, après que Giuseppe l'eut réveillé pour qu'il « tourne » la troisième, il fut pris d'étourdissements au-dessus du pétrin. L'entendant hurler, j'ai coupé le mouvement rotatif. Je vis alors, dans la pâte, les débris métalliques du tranchoir qu'il avait lâché, et que le brasseur avait éclaté. Giuseppe s'était précipité également, il relevait Célestin pendant que je remettais en route, pour décoincer son bras enfoui dans la pâte. Lorsque nous l'avons relevé, mon père avait un visage de pâte. Il nous a repoussés sans un mot, a saisi un linge pour entourer sa main ensanglantée, puis nous a ordonné d'appeler le médecin et de jeter la pâte. Le gros docteur fut vite là ; il donna à Célestin les soins appropriés dans la cuisine, avec l'aide d'Amélie. Au

144

moment de partir, le médecin me prit à part et, de sa voix grasseyante, si chaleureuse, me dit :

— Pour la main, il faudra du temps ; les ongles risquent de ne plus repousser. Ce n'est pas ça le plus préoccupant. Tu sais, Cyprien, son cœur est usé. Trop de travail, trop dur, depuis trop longtemps.

Puis, posant sa lourde main sur mon épaule :

— Il faut te préparer...

Je suis resté plusieurs minutes à écouter le tumulte que cette phrase avait levé en moi. « La silhouette de la Haute Forteresse » était noyée d'obscurité, des vents tournoyaient dans sa vasque. Leur rigodon propagea le chant des feuilles de tous les arbres de la vallée.

C'est après cette nuit, que, malgré moi, je me suis accoutumé à regarder Célestin comme si je le voyais pour la dernière fois. Je ne pouvais me raisonner. Malgré sa main en écharpe, la voix de mon père tonnait toujours aussi fort, et quand il arpentait son fournil d'un pas à la fois pesant et alerte, ses épaules charnues débordant son maillot sans manches, je me prenais à douter du diagnostic du médecin. Pourtant, j'avais remarqué des essoufflements, des pâleurs subites, qui me serraient la poitrine d'angoisse.

Il était temps de recueillir les mille enseignements qu'il avait à me transmettre. J'avais déjà acquis la partie technique du métier. Il lui restait à m'aider à devenir un patron boulanger. Savoir, par exemple, que telle proportion de farine de minotier, composée avec une quantité donnée de celle de la butte, donnerait un pain acceptable, tout en faisant « passer » le blé de la vallée, de qualité inégale. Il fallait aussi savoir se montrer un compagnon parmi d'autres, qui peinaient ensemble au long d'une nuit, sans jamais oublier que l'on était « le patron ».

Devenir celui qui met certaines barrières, tout en participant à la curieuse euphorie qui cueille les jeunes ouvriers quand ils entendent le coq chanter au creux de l'aube. C'était alors des cavalcades, des courses nocturnes dans le quartier endormi. Nous nous coiffions de sacs de farine, après nous être copieusement arrosés, ce qui nous transformait en statues de pâte.

En accompagnant Célestin dans les cours de ferme, les moulins et les minoteries, je l'observais intensément, pour apprendre et pour me souvenir de lui. C'est à cette époque que s'est formé en moi ce sentiment, un peu mélancolique, de participer, au travers du déclin de mon père, à un mode de vie finissant. Sachant le peu de temps qui lui restait, Célestin en rajoutait, comme un maître d'école décompose les syllabes lors d'une dictée. Il lui arrivait même de se caricaturer, afin que je comprenne mieux les codes du métier. Dans les cours de ferme, il était chez lui. C'est là, sabots enfoncés dans la boue, qu'il parlait sa langue. Tout pouvait se dire, reproches ou critiques, pourvu que cela le fût avec cet humour intraduisible. Si le paysan trouvait le pain insuffisamment cuit, il soupçonnait le boulanger de lui vendre de l'eau ; il ne le disait pas aussi abruptement, mais nous saluait d'une remarque pateline, poussant son béret en arrière :

— *Oh ! Célestin, ovio pa dei boï per fa coge !* (« Oh ! Célestin, tu n'avais plus de bois pour faire cuire ! »)

Célestin ne se démontait pas. Posant le pain sur la table, il répliquait du tac au tac :

— C'est que... tu vois, Félicien, ton blé, il est tellement acide que le meunier m'a dit que son registre d'acquit s'était recroquevillé quand il l'a marqué dessus. C'est miracle que j'aie pu en faire du pain de chrétien.

Tous deux éclataient de rire et trinquaient à la

santé du meunier, cet alchimiste qui balayait les poussières du moulin dans ses trémies, élevait ses poules avec le bon grain dérobé au paysan et au boulanger. De toute façon, il fallait bien un bouc émissaire.

10

L'histoire de l'entre-deux-guerres, celle de mon enfance, qui fut pour moi une époque de paix, s'était confondue avec les « années Giuseppe ». Ces temps devaient bientôt prendre fin.

Cela commença insidieusement, une de ces soirées de la fin de l'été 1937. Après le repas du soir, sur le banc de la boulangerie, nous devisions en compagnie de mon oncle Joseph et de sa famille. On entendait chanter sous les platanes du carrefour. Le soleil avait sombré sous le crâne du Puy d'Issolud, qu'il continuait d'incendier de nappes orangées. Des voix qui m'étaient toutes familières s'interpellèrent dans la pénombre. On hurlait des injures, mais pas sur le ton habituel de ces populations qui feignent souvent des querelles. On entendit le bruit de chaises s'écrasant contre le mur, au coin de l'hôtel Claretie, caché à notre vue par une maison. Au milieu du brouhaha, nous avons distingué une voix, qui nous fit bondir immédiatement, Célestin et moi.

Sous le halo bleu, nous vîmes la chevelure rouge : aucun doute, mon demi-frère était bien sorti de sa forêt auvergnate. Il était entouré de trois types à la tête patibulaire et d'une femme à l'élégance voyante.

Mon ami Robert, qui était devenu un colosse intrépide redouté des lutteurs publics, vint vers moi et me souffla :

— C'est les « enfants d'Auvergne », les Cagoulards de Michelin. Il y a ton frère.

Je sentis dans ma nuque ce picotement qui, depuis quelque temps, annonçait les grandes colères. Déjà, sur la terrasse d'en face, des chiens sortaient de sous les guéridons de faux marbre, queue basse. Des chaises étaient renversées, des silhouettes s'empoignaient, des vociférations emplissaient le carrefour.

— C'est les fascistes ! Putain, ils ne vont pas venir faire la loi ici !

Les cris s'organisaient en slogans rageurs :

— Les nazis chez Hitler !

De la terrasse d'en face, la réplique fusa :

— Les cocos à Moscou !

Je me jetai dans la mêlée, aux côtés des silhouettes qui traversaient la route en hâte, chacune sa chaise en main. Parmi la foule en convulsion, j'aperçus Giuseppe qui frappait l'un des gominés avec son rouleau à pâtisserie. Quand les gendarmes arrivèrent enfin, nonchalamment, comme s'ils avaient reçu l'ordre de ne pas se presser, Julien, surexcité, leur cria :

— C'est eux que vous devriez coffrer, les communistes, et ce boulanger italien ! C'est un terroriste condamné à mort dans son pays. Toi, je te crèverai, sale rouge !

Durant les semaines qui suivirent, Giuseppe, seul à être bien informé sur la vie des réfugiés italiens dans notre pays, garda toujours l'air inquiet. Lui, habituellement si serein et enjoué, il regardait souvent autour de lui, comme un homme traqué. Il se contenta de me dire que la bagarre de l'autre soir et la haine que lui témoignaient Julien et ses acolytes étaient inspirées par les hommes de Mussolini en France. Ces troubles s'inscrivaient dans la vague d'attentats qui avaient coûté la vie à Carlo Rosselli, quelques mois auparavant. Rosselli était le chef des réfugiés politiques italiens en France. Giuseppe avait toutes les raisons de penser que les provocateurs de l'autre soir étaient manipulés par les groupes de « cagoulards » fanatisés qui cherchaient à soulever l'armée française contre le communisme. En échange de leurs assassinats, ces gens recevaient de Mussolini des armes et de l'argent.

Quelques jours plus tard, j'ai appelé mon père pour qu'il vienne entamer la nuit de travail avec moi. Nous étions inquiets pour Giuseppe, qui n'était pas descendu couper la « première ». Sa chambre était vide, son lit défait. Cela ne lui ressemblait pas. La chaleur n'avait pas cédé avec la soirée. Le four nous jetait des gifles chaudes.

Guillaume Bérold, le braconnier, entra dans le fournil, ajoutant à notre inquiétude. Guillaume avait un bec-de-lièvre, et sa bouche dépourvue de palais ne lui permettait pas d'articuler correctement les consonnes. Il roulait des yeux fous, tirant mon père par la manche. Je ne comprenais pas ce qu'il voulait nous dire. De toute évidence, quelque chose de grave s'était produit sur les berges de la Dordogne.

Mon père qui le connaissait depuis l'enfance et savait traduire son langage l'avait pris aux épaules.

— Calme-toi, Guillaume, et dis-moi lentement ce que tu as vu dans la couane à Lamothe.

Bérold insistait, hoquetant ses syllabes. J'ai fini par comprendre les mots : « Il est mort » et « Giuseppe ».

Sans chercher à en entendre davantage, nous avons quitté nos tabliers, laissé le fournil à Adrien et à ma mère qu'il avait fallu réveiller. Célestin attela la mule. C'était une nuit de pleine lune. Les berges de la Dordogne étaient éclairées presque comme en plein jour. La lune blanche surplombait la gorge des falaises. La brise nocturne jouait un lamento dans les grands chênes.

Guillaume s'était déjà coulé dans les hautes herbes, jusqu'au bras d'eau croupissante. La brume y déposait une crinoline funéraire. La mâchoire carrée de la grande grue se détachait sur la lune. Avec son embarras de structures métalliques, de poulies et de câbles, le concasseur, seul engin industriel des environs, était redouté du village. Sa silhouette de dinosaure avait arraché des tonnes de galets au lit de la rivière et creusé des trous qui atteignaient par endroits trente mètres de profondeur. Nous avions perdu de vue Guillaume.

— He nez hite...

Au son de la voix, nous avions compris que le braconnier se trouvait au bord du congrier qui prolongeait le bras mort. C'était la partie la plus marécageuse de la couane, où les barques s'aventuraient avec circonspection par peur de l'envasement et des aspics qui y pullulaient.

J'ai couru en tentant d'éviter les branches mortes qui jonchaient le sol. Derrière moi, Célestin a fait un gros bruit de ventouse en s'enfonçant dans un trou fangeux. Au bord de l'eau nauséabonde, un fanal tremblotait entre des arbres décharnés, qui, sous la lune, faisaient un décor de bambouseraie ravagée par un cyclone. Une tache claire dans une barque à demi envasée... Je me suis penché et j'ai reconnu la veste pâtissière de Giuseppe. Le fanal éclairait à présent le visage figé et les larges moustaches. Mon père nous avait rejoints, en soufflant bruyamment. Dès qu'il est parvenu devant la barque, il a touché la plaie sombre au front de son ami. Il porta la main à la gorge et dit :

— Il est mort... Ça fait plusieurs heures déjà.

Giuseppe ne fut inhumé que trois jours plus tard. Il fallait aux services de gendarmerie le temps de procéder à une enquête qui rejoignit d'autres procédures en cours pour des meurtres d'antifascistes italiens. Une autopsie fut pratiquée par le docteur Mazard. La cause de la mort était facile à établir : une décharge de fusil de chasse à bout portant dans la tête. Giuseppe avait été abattu comme un chien. Lorsque j'entendis la marque de l'arme du crime, mon sang se glaça dans mes veines. Il s'agissait d'un « deux coups » Fauré-Lepage, un fusil inusité dans la région.

Aucun doute n'était permis : mon demi-frère avait mis ses menaces à exécution. Les gendarmes savaient eux aussi que Julien possédait le Fauré-Lepage de Ferdinand Castagnet, mais Roucaute avait ajouté, sur un ton mystérieux :

— Tu sais bien, Célestin, que dans ce genre d'affaire, on a du mal à arrêter les coupables et encore plus à les faire condamner.

Mon père avait demandé, l'œil soupçonneux :

— Quel genre d'affaire ? Tu veux dire que l'assassinat d'un étranger est dans l'ordre des choses ?

Le brigadier avait pris un air contrit et poursuivit, sur un ton agacé :

— Voyons, Célestin, tu as combattu dans l'armée d'Orient. Tu sais très bien qui est derrière les tueurs, qui arme leur bras et les protège... Oh ! et puis, je t'en ai déjà trop dit, avait-il conclu avec brusquerie, comme quelqu'un qui craint de se laisser entraîner dans une discussion risquée pour lui.

La veille des obsèques, durant toute la matinée, j'avais entendu les cabris, poitrail sanglé pour la pesée, jeter des cris d'enfant qui déchiraient les sons lents du bourdon. Tout ce jour de grand marché, la foule avait fait courir de terribles rumeurs. Beaucoup pensaient qu'il y avait une fatalité à ce qu'un étranger apporte le malheur dans la maison qui l'avait imprudemment accueilli.

Le soir venu, l'agitation était retombée, nous laissant seuls avec notre peine. Nous prenions le frais, entre deux fournées, sous la treille encore silencieuse. Amélie, brisée de chagrin, s'était jointe à nous. Mon père avait passé son bras autour des épaules de ma mère. Ce geste d'affection, inhabituel entre eux, avait, sans que je sache pourquoi, ajouté à ma peine. Le glas sonnait les funérailles. C'est alors que je vis émerger du brouillard coiffant le ruisseau une petite forme sombre. Elle cheminait, d'un pas décidé, un balluchon sur l'épaule. Il me semblait avoir déjà vu cette silhouette qui ne pouvait être celle d'une femme des environs, tant il y avait de malheur, de détermination et de fierté dans son maintien. Je me suis alors souvenu. C'était bien cette femme, plus jeune mais aux traits déjà creusés, que j'avais vue en photo dans la mansarde de Giuseppe. Lorsqu'elle est arrivée devant nous, elle a planté ses yeux noirs dans ceux de Célestin :

— *E qui mio figlio Giuseppe ?*

Nous étions, mon père et moi, bras ballants. Seule Amélie, qui comprenait l'italien, a réagi. Elle a serré la vieille femme dans ses bras. Toutes deux pleuraient. C'est à ce moment-là que j'ai vraiment perçu la profondeur de l'attachement qui liait ma mère à Giuseppe.

Nous avons conduit la vieille Carla dans la cambuse tendue de noir, devant le cercueil de son fils. Giuseppe reposait à la lueur dansante d'un callel. Carla a demandé à mes parents de voir le corps de son fils. Le cercueil n'était pas cloué et mon père a fait glisser le couvercle. Je me tenais en face d'elle pendant qu'elle scrutait la face blême. Ses yeux étaient aussi éteints que ceux d'une statue. Puis, elle s'adressa à Giuseppe, d'une voix étonnamment forte, comme s'il pouvait l'entendre :

— Quelqu'un te voulait du mal, à Paris, mon fils...

Je me suis demandé pourquoi elle considérait que des assassins ne pouvaient venir que de Paris.

Amélie avait cessé de pleurer. Nous nous sentions mieux de pouvoir partager le deuil avec cette femme venue de si loin, qui montrait tant de dignité.

Aux environs de minuit, on a frappé à la porte du fournil : Albertine, mon oncle Joseph, la vieille Maria et Gustave le tonnelier venaient se joindre à nous pour la veillée mortuaire.

Seuls les bruits de chaises déchiraient le silence. Les grillons qui s'étaient tus à l'ouverture de la poterne avaient repris leur stridulation. Ils faisaient pleuvoir sur nous la guipure qui nous parlait de lui, de son four, des nuits de paix que nous avions passées ensemble.

La voix de Clara, avec ses intonations souples, divisa le silence, comme le vent lève un linceul.

— *Ero bello, mio figlio...*

La réponse de ma mère eut une résonance apaisée, comme inspirée par la sérénité de Clara :

— Oui, il était beau...

Les autres parlaient à voix basse. Ils avaient tiré leurs chaises au coin du four accueillant et tiède. C'était comme si l'on veillait aussi le grand animal torride. Sa grosse paupière, fermée sur les odeurs de vieux bois calciné, avait peu à peu perdu le souffle de vie qui l'animait, comme si ceux qui chuchotaient devant le foyer étaient venus veiller un fournier et son four. On entendit la voix plus forte d'Albertine :

— Ses moustaches en lame d'acier, au comptoir du café, quand il me disait : « Tinou, bien noir ce matin, le café... Italien, tu m'entends... » Pour moi, tout Giuseppe était dans ses *a*... j'aurais reconnu ses *a* au milieu d'un champ de maïs de *a*, comme s'ils étaient assis sur un banc, le soir, à regarder passer les gens, ses *a*.

Joseph dit à Célestin :

— C'est une chance d'avoir eu quelqu'un comme lui, pendant onze ans.

Célestin plissait les yeux sous la fumée de sa cigarette et se taisait. Des rumeurs l'avaient meurtri : on avait parlé de sa complaisance à l'égard de l'Italien. Politique, bien entendu, et peut-être aussi... Mais que ne dit-on pas, quand un couple abrite sous son toit, onze ans durant, un homme plus jeune, de l'âge de l'épouse ? La communauté boulangère, qu'est-ce que les gens peuvent y comprendre ?

Le lendemain matin, nous nous trouvions devant la terrasse de l'hôtel Phialy, un établissement de voituriers sur la place de la mairie. Célestin, mon frère aîné et moi attendions les « faces de lune ». Nous étions poursuivis par les images funèbres de la nuit qui venait de s'achever. Il nous fallait faire part aux boulangers du Lot de l'annulation du banquet qui clôturait traditionnellement leur assemblée annuelle. Celle-ci, prévue depuis longtemps, avait été maintenue, car les décisions gouvernementales récentes suscitaient dans les fournils des commentaires enfiévrés. Il importait de définir une ligne de conduite cohérente. Pourtant, compte tenu des événements dramatiques de la veille, la décence commandait d'annuler le banquet. Célestin, visage défait à l'issue d'une nuit sans sommeil, attendait donc l'arrivée de ses collègues pour leur annoncer le changement de programme.

Mêlés à des courtiers et à des expéditeurs de bestiaux, ils sont descendus, parmi les derniers, avec les voyageurs peu fortunés de l'étage supérieur. J'ai supposé que ces hommes de poussière et de nuit avaient voulu profiter de l'air et du soleil, sur l'impériale à claire-voie. Rique et moi, nous tenions en retrait. Pendant que mon père leur annonçait la mauvaise nouvelle, j'observais les boulangers qui se distinguaient des autres passagers par leur teint pâle et la marque du calot sous la racine des cheveux. Eux que nous avions l'habitude de voir le tablier gris autour des reins, le calot vissé sur la tête, s'étaient, pour l'occasion, habillés en bourgeois, encravatés, rasés de près, gominé la chevelure. Ils furent touchés par la nouvelle tragique. Beaucoup d'entre eux connaissaient et appréciaient Giuseppe. Tous mesuraient la peine de Célestin, sachant la profondeur des liens qui s'établissent, au cours des années, avec un commis qui finit par devenir un membre de sa famille.

Mais si le banquet était annulé, il n'était pas question de surseoir au débat auquel il devait donner lieu.

Sous les hautes voûtes de la grande halle prêtée par la mairie, j'avais un peu de mal à suivre les débats. J'entendis cependant le petit Billoux glapir :

— Assainir l'industrie meunière ! Tu parles, ils veulent tuer les petits meuniers ! Ils veulent faire de nous des fonctionnaires.

Je vis Marchou brandir un chiffon de papier en hurlant :

— Comptabilité matière ! Bon de remis ! Pour les huit cents mètres du moulin à ma boulangerie !

Quand est-ce que je vais pouvoir dormir, s'il me faut remplir tous ces papiers en plus !

Soudain, une voix, venue du fond de la grande halle, cria :

— C'est notre mort qu'ils veulent ! Surproduction de blé, mon œil ! Ils veulent nous obliger à prendre la farine aux Grands Moulins. Comme ça, les paysans se remettront à cuire leur pain.

Pris pour « mettre de l'ordre dans la "filière blé" » le décret de Camille Chautemps menaçait de mettre le feu aux poudres. Ces travailleurs manuels étaient plus habiles à bouger des sacs qu'à manier la plume. Ils redoutaient tous de devoir, en sus de leur dur labeur nocturne, se muer en « préposés aux écritures », tant devenaient contraignantes les formalités paperassières.

Divisés, incapables de s'opposer à la loi, les boulangers avaient fini par se séparer sur une décision qui paraissait simple, parce que de portée locale. Désormais, ils ne cuiraient plus de « couronnes », le trou central de ces pains prenant une place dans le four qui diminuait le nombre de pains que l'on défournait. Ils savaient que cette décision resterait lettre morte, pour la simple raison que c'était en les enfonçant dans le guidon du vélo que les gosses de la campagne rapportaient les couronnes chez eux. Devant l'exigence des paysans, chaque boulanger du département prendrait donc, sans le dire, des accommodements avec cette résolution.

L'après-midi, nous nous sommes retrouvés au cimetière. Le vieux curé avait béni le cercueil de Giuseppe, sans passion, d'un geste las. Il y avait les boulangers et des gens bruns, que nous ne connaissions pas, visiblement des Italiens. Certains avaient bien connu Giuseppe. Je revis avec émotion Mario, venu de Nérac pour enterrer son ami. D'autres, compagnons anonymes de l'immigration antifasciste, ne connaissaient pas Giuseppe. Nous étions tous massés sous les deux cyprès, au bord de la tombe ouverte des Charrazac. Où, ailleurs que dans le tombeau familial, notre ami pouvait-il reposer ?

Les pieds dans l'herbe, sous la pluie battante, nous nous serrions autour de Carla et d'Amélie figées dans leur douleur. L'orage avait vite plongé la procession dans la pénombre. Quelques signes de tête graves, venus des tombes voisines, nous saluaient de temps en temps. Incertains quant au statut de ces obsèques, craintifs des événements à venir, les villageois se tenaient à distance, pelotonnés derrière leurs tombes. Ils avaient, comme on dit, fait « acte de présence » vis-à-vis de mon père et de ma mère. Pour autant, ils ne s'étaient pas vraiment mêlés à nous.

11

Nous vivions le terrible été 1940, à l'écart des champs de bataille. La France répandait son sang et ses entrailles sur les routes de la débâcle. L'assassin de Giuseppe n'avait pas été retrouvé. Pourtant, la culpabilité de Julien Castagnet ne faisait pas de doute aux yeux des gendarmes. Toutes les pistes suivies par l'enquête convergeaient vers lui. Le seul fusil Fauré-Lepage vendu par les armuriers de la région était celui dont Ferdinand Castagnet avait fait l'acquisition à Souillac, en 1921. La trace de mon demi-frère se perdait quelque part en Auvergne où, semblait-il, un regroupement de membres de « la Cagoule » bénéficiant de solides protections s'était établi dans une semi-clandestinité. Cela faisait deux ans déjà que Giuseppe était mort.

Aucun d'entre nous n'avait oublié le bel Italien. Parfois, à l'heure où pâlissaient les carreaux du « pressidou », je croyais entendre sa voix mêlée au crépitement du bois clair. Célestin s'était résigné. Il avait serré dans ses bras tant de dépouilles de camarades, morts au combat ou terrassés par les fièvres, qu'il semblait moins sensible à la mort d'autrui. Pourtant, devant le four incandescent, au moment où il fallait envoyer la couleur, une phrase lui échappait parfois :

— Giuseppe ! La cou...!

A sa façon de s'interrompre, de secouer sa grosse tête, je comprenais. Nous tournant le dos, il préférait tirer les ouras lui-même plutôt que de rectifier son ordre, en appelant Adrien à la place de Giuseppe. Avec Célestin, ce qui était dit l'était une fois pour toutes, bien ou mal... De nous tous, Amélie était celle qui avait manifesté la plus grande peine. Elle essuyait souvent ses yeux à l'heure de passer à table, devant la chaise demeurée vide.

Pendant la courte guerre, tout le village avait vécu dans l'anxiété. Pour notre part, nous étions restés sans nouvelle de Rique, mobilisé dès les premiers jours. Sa dernière lettre, datée du 10 juin 1940, nous avait appris son incorporation dans un régiment des Ardennes. Puis, il avait été brinquebalé avec des débris de son unité, avant de revenir, en haillons, au village. Quelques jours après son retour, les gendarmes étaient venus le chercher, pour le conduire aux Chantiers de la jeunesse en voie de constitution à Casteljaloux, à la limite des Landes et du Gers. Les armées françaises venaient d'être démantelées dans le nord du pays, et nous avions senti venir la vague, le raz de marée qui devait déferler sur le sud de la France.

Situé en zone non occupée, la « zone nono », comme on disait, le village s'est réveillé au cœur du maelström une nuit de juin 1940. Un bruit de charroi avait hanté mon court sommeil. Lorsque je suis descendu, à deux heures du matin, Irénée, l'autre apprenti, m'a confirmé que je n'avais pas rêvé ce bruit incessant :

162

— Il y en a eu toute la soirée. A peine une charrette était passée qu'on voyait les feux d'une voiture ou d'un camion de transport de troupes. Je crois qu'il y a des gens qui habitent leurs carrioles. Ils ont toutes leurs affaires dessus, des lits, des buffets, tout ça... Qu'est-ce qu'ils viennent faire ici ?

Adrien, plus âgé et mieux informé, lui répondit :

— Tu n'as pas vu qu'ils ne s'arrêtent pas ici... A part ceux qui ont soif ou qui sont trop fatigués, ils vont tous à Toulouse. Il y en a jusqu'au bout de la ligne droite de Saint-Denis... Il y a plusieurs familles qui dorment par terre au café Marius.

Dès le réveil de Célestin, nous sommes allés les voir. Nous sommes restés un moment à regarder le flot des charrettes, des voitures automobiles croulant sous les pauvres objets que les familles avaient précipitamment entassés. C'était un grincement sans fin d'essieux malmenés, le fond sonore d'un peuple défait. Depuis des jours et des nuits, ces gens fuyaient sous les avions allemands. La plupart étaient des gens au parler plat, à la peau claire. Ils étaient vêtus de costumes de ville poussiéreux, souvent déchirés, qui témoignaient de la très longue route déjà parcourue. A cette heure où le « carrefour », d'ordinaire, s'éveillait, des villageois étaient là, depuis le point du jour. Il y avait de la curiosité dans leurs yeux, mais surtout l'impression de voir passer la France battue, humiliée. Albertine, se faisant, comme souvent, l'interprète du sentiment général, avait vitupéré les autorités et la presse :

— Et les autres menteurs qui nous disent qu'elle n'est pas encore perdue, la guerre !

Une femme blonde et maigre, les traits tirés, avançait d'un pas d'automate. Elle tenait par la main une petite fille aux grands yeux clairs qui titubait de fatigue. Avisant notre groupe, la femme nous demanda du lait pour l'enfant. Tandis qu'Irénée partait chercher à la boulangerie de quoi les restaurer, j'ai proposé à la mère de prendre quelque repos chez nous. Elle m'a regardé, une lueur de tentation dans l'œil. Puis, elle a secoué la tête, et m'a expliqué d'une voix oppressée que sa sœur était mariée à un fermier de Gramat, qu'il lui tardait d'être auprès d'elle. La femme paraissait méfiante, malgré le lait, le pain et les croissants, pour lesquels j'avais refusé son argent. Je ressentais profondément le malheur qui frappait ces gens.

La femme dut le comprendre, car elle me dit son nom. Elle s'appelait Rebecca. Entre deux bouchées, elle me confia qu'employée d'un hôpital d'une région du nord de la France, elle avait vu des médecins donner la mort à des malades intransportables.

J'ai mieux compris la hâte de tous ces gens et leur méfiance.

Nous étions tous gauches et empruntés, devant cette foule que rien ne soudait, sinon la peur. Rebecca finit par accepter de venir se reposer chez nous. Ma mère, m'ayant vu sortir de la foule du carrefour avec la femme et l'enfant, était venue à notre rencontre. Elle a débarrassé la réfugiée du balluchon qui lui sciait les épaules et lui a dit :

— Achevez d'entrer, venez vous reposer...

Puis, voyant le regard encore égaré de la mère et de l'enfant, elle a demandé :

— Et comment s'appelle cette petite demoiselle ?

L'enfant eut un pauvre sourire.

— Je m'appelais Rachel... avant.

— Comment ça avant ? fit ma mère, surprise.

Rachel regardait Amélie, puis sa mère, comme en quête d'une confirmation, et finit par demander, d'une voix où se mêlaient angoisse, fatigue et espoir :

— C'est à partir d'ici qu'il faut que je m'appelle Suzanne, ou bien seulement quand on sera arrivées à Gramat ?

164

Nous avions pris l'habitude de secourir, du mieux que nous le pouvions, les détresses les plus flagrantes. Cela avait fini par se savoir, car les nouvelles circulaient sur les possibilités, vitales pour tous ces gens, de trouver quelque répit. Aussi, presque toutes les nuits durant ces quelques semaines, le fournil avait-il accueilli des réfugiés. Ils s'écroulaient comme des bêtes fourbues, parfois sans avoir la force de manger, sur le foin de l'étable ou sur les sacs de la cambuse.

L'une de ces nuits, je dépliais les couches au-dessus du four. Une lucarne donnait sur la façade du manoir de Bournazel. Il y régnait une animation, inhabituelle à cette heure de la nuit. Sur la grande terrasse, des petits halos de lumières bleutées paraissaient danser, s'entrecroiser. C'était comme un ballet, parfois rapide, à d'autres moments plus lent. Je n'ai pas été long à comprendre que les silhouettes découpées par la pleine lune sur les murs du château portaient des paquets de plus ou moins grande dimension. Laissant le four sous la garde d'Adrien, nous sommes montés en hâte au fenil.

Irénée, le premier, s'est écrié :

— Il y a une file de camions bâchés, comme ceux des Allemands qu'on a vus aux informations. Je te parie que c'est les boches, les salopards ! Mais *La Dépêche* n'a pas dit qu'ils étaient déjà là !

J'ai sauté, comme autrefois, le mur qui nous séparait du manoir de Bournazel, et nous avons rampé dans les hautes herbes. Parvenus à proximité de la route qui bordait le haut mur envahi de lierre, l'on distinguait, presque comme en plein jour, la file des camions tous feux éteints. Ils étaient bâchés comme des véhicules militaires ; il y en avait jusqu'à la route de Bétaille. Les hommes, qui por-

165

taient des charges de dimensions variables, parlaient français avec l'accent de Paris. Soudain, à l'entrée des écuries où les porteurs de paquets entraient, puis ressortaient les bras libres, une voix se fit entendre :

— Il va falloir en mettre dans le château... Les écuries sont pleines !

Reconnaissant la voix de Vidalie, le régisseur du château, je fus rassuré et sortis des fourrés. Nous découvrant, l'homme en chapeau qui dirigeait les opérations sursauta. Il vint vers nous et nous apostropha :

— Que faites-vous là ? Et d'abord, qui êtes-vous ?

La voix de Vidalie résonna dans l'ombre :

— N'ayez pas de crainte, monsieur le conservateur ! Ce sont les boulangers du « quartier bas ». Ils ne diront rien, c'est des bons Français.

— Après tout, dit l'homme, nous allons bien être obligés de mettre le Louvre sous la sauvegarde de la population. Ils seront toujours mieux là que chez Goebbels.

J'étais stupéfait et ne pus que murmurer :

— Vous ne voulez pas dire que, dans ces caisses...

L'homme, de haute taille, à la mise soignée, dont je distinguais à présent les traits à la lumière des écuries, me prit aux épaules et me dit :

— Vous travaillez la nuit, n'est-ce pas ?

— Bien sûr, comme tous les boulangers.

— Alors, vous pouvez faire quelque chose d'important pour votre pays. Suivez-moi...

Je l'ai accompagné jusqu'à une immense caisse que les hommes en casquettes, à l'accent « faubourien », venaient de poser au sol.

— Défaites l'emballage, dit le conservateur sur le ton d'un homme habitué à être obéi. Vous voyez bien que celui-ci s'est rompu. Il faudra le remplacer rapidement...

Cinq hommes s'affairaient autour de la caisse qui

touchait presque le plafond des immenses écuries. A l'aide de leurs longues pinces courbes, ils dépouillèrent prestement, avec des gestes précis, l'immense paquet de sa gaine de bois. Sous le bois, ils rencontrèrent une matière plus souple que je ne connaissais pas et qui se déchira avec un bruit d'étoffe.

Le conservateur promena son bougeoir le long du grand tableau, plus grand encore que ceux qui surplombaient le chœur de l'église du village. Lorsqu'il fixa le halo sur le profil blafard et altier d'un homme drapé dans de lourds brocarts, je reconnus la scène majestueuse qui se devinait dans la clarté vacillante. Je l'avais déjà vue, suspendue aux murs du Louvre, que nous avions visité mon père et moi en 1930, l'année de l'Exposition coloniale. L'homme tenait une couronne d'or, qu'il s'apprêtait à déposer sur le front courbé d'une femme agenouillée. Je reconnus même le regard de l'autre femme, plus âgée, qui se tenait au centre de la loge. Sous l'immense retombé de velours vert qui surplombait la scène, elle jaugeait son fils en majesté, d'un regard de vigilance exigeante qui m'a fait songer à celui d'Amélie.

Le conservateur, un sourire amusé au coin des lèvres, guettait notre réaction. Ce fut à moi qu'il s'adressa :

— J'ai l'impression que vous l'avez déjà vu, n'est-ce pas ? me demanda-t-il.

Puis, devançant la question qu'il voyait se former sur mes lèvres :

— Mais oui, c'est le vrai tableau, celui de David : *Le Couronnement de l'empereur Napoléon Ier*. Vous pensez si une œuvre pareille intéresse les Allemands ! Les trésors nationaux seront plus en sécurité ici qu'à Paris. Si vous nous aidez à monter bonne garde, ils seront restitués au peuple français à la fin de cette guerre.

J'était pétrifié. Un frisson m'agitait malgré l'air chaud de cette nuit estivale. Une furieuse envie me prit de courir réveiller Célestin, de l'amener, à mon tour, devant ce tableau qu'il m'avait fait découvrir neuf ans plus tôt, sous les cimaises du Louvre. Je n'en fis rien, car Adrien m'appelait de la route :

— Cyprien, la fournée fout le camp !

Aussitôt dans le fournil, l'odeur âcre du désastre me prit à la gorge. Des pains sur leurs planches, on ne distinguait plus qu'un amas informe.

— Tu n'as pas enfourné la troisième ? hurlai-je aux oreilles d'Adrien déconfit.

A son air vague et à ses cheveux pleins de foin, je compris qu'il s'était laissé gagner par le sommeil dans le fenil.

— Si on appelait le patron ? risqua-t-il.

— Tu es fou ? C'est à nous de faire face... Ouvre-moi le four, que je voie où en est le gueulard.

Le four ouvert, une flamme a embrasé le fournil et fait danser les ombres sur le mur opposé. Elle crépitait en léchant le plafond arrondi du four béant. Les sillons noirs de la voûte dessinaient un profond tableau mouvant, qui m'évoquait depuis toujours les renflements sombres du palais de la gueule d'un chat. A l'aide d'un long pique-feu, j'ai gaffé le gueulard abandonné sur la pierre incandescente. La grosse coquille de fonte a râpé longuement la sole en bavant des fumerolles de colère. Lorsque je l'ai sorti, il diffusait une onde de chaleur insupportable. J'ai ordonné à Adrien de tirer un seau du puits et de le vider de son eau, dans la mangeoire de la cour.

— Tu ne veux tout de même pas..., tenta-t-il d'objecter.

Mais j'avais déjà vu mon père refroidir le gueulard en le trempant dans de l'eau fraîche. Adrien m'ayant obéi, je me précipitai dans la cour. La grosse coquille, chauffée à blanc, me roussissait les avant-bras. Je la laissai choir dans la mangeoire pleine d'eau noire. Un chuintement puissant, puis d'épaisses fumées blanches envahirent la cour, suivis d'une détonation.

— Il a pété ! Qu'est-ce qu'on va prendre ! se lamentaient les deux commis.

On évaluerait les dégâts plus tard. Il fallait faire très vite, revenir au four, l'ouvrir pour qu'il refroidisse, enfourner avant que les pâtes ne se piquent. J'ai hurlé à l'intention d'Adrien :

— Ouvre les ouras, empoté !

J'ai aussitôt regretté ce mot que mon père n'eût jamais utilisé. Adrien s'exécuta. A présent, la sarabande des flammes qui léchaient le fond de la sole refluait en une vive écume orangée. Je ruisselais comme si j'étais tombé à l'eau. Après m'être désaltéré, je fus pris d'un vertige et ressentis le besoin d'aller faire un petit somme sur le sable chaud de la chape au-dessus du four.

A peine avais-je fermé les yeux, que les images des jours que nous venions de vivre se brouillèrent dans mon cerveau. Je voyais la voûte du four dévorée par les flammes, comme s'il se fût agi de la gueule d'un animal fantastique. A d'autres moments, mes yeux fermés étaient emplis d'une foule de personnages chamarrés. Au centre du tableau, l'empereur, vêtu d'hermine, se couronnait lui-même sous les yeux pleins de fierté de ma mère, dont les traits se confondaient avec ceux de Laetitia Bonaparte...

Je ne fus pas le seul à être troublé par « le couronnement ». Tout le « quartier bas » fut bouleversé, et le « secret d'Etat » que constituait la présence des tableaux du Louvre dans l'écurie de Bournazel devint vite un secret de polichinelle. Les villageois étaient partagés entre la fierté et la crainte de voir le bourg envahi par les hommes de Goering à la recherche des trésors nationaux. Le surlendemain, un dérivatif nous fit oublier un instant le legs encombrant qui venait de nous être ainsi fait.

C'était le jour des noces de mon cousin Pierrot. Il y eut une fête champêtre, dans une clairière au bord de la rivière, et mon existence prit un tour nouveau lorsque je me rendis compte de la métamorphose d'une fillette montée en graine. Les tables, recouvertes de nappes blanches, avaient été disposées sous les grands chênes. Bordée étroitement par les hautes falaises jaunes, la Dordogne libérait au loin un spasme argenté. Des poignées d'oiseaux menus cueillaient des moucherons dans l'écume des rapides. Bien plus haut, incrustées dans les nuages blancs, des buses ciselaient leur vol lent sur la vallée paisible. J'avais aperçu Julie dans une petite clairière cernée de mûriers, un peu à l'écart de la fête. Elle virevoltait, bien prise dans sa robe rose, les yeux aveuglés par un bandeau vert. Elle était au centre d'un cercle de six garçons, qu'elle devait identifier en les touchant. La scène me stupéfia : cette gamine aux jambes maigres pouvait donc intéresser des jeunes gens de mon âge ? En même temps, sans pouvoir me l'expliquer, je ressentis ce jeu innocent comme une offense personnelle. Dans l'après-midi, les nuages, jusqu'alors inoffensifs, finirent par crever en giboulées sur la fête. Comme les autres, soucieux de ne pas abîmer l'habit qu'on m'avait prêté pour la circonstance, je courus me mettre à l'abri d'une cabane de pêcheur.

C'est au tournant d'un roncier, que se produisit la collision qui devait décider du reste de ma vie. Je sentis un choc, amorti par des volants et des dentelles, et j'eus le temps d'apercevoir deux grands yeux bleu pervenche, écarquillés de saisissement. Elle était tombée dans les menthes sauvages.

Mi-furieuse, mi-ravie, elle me regardait avec une drôle d'expression. Je compris qu'elle n'avait pas prévu, en me percutant délibérément, la posture gênante dans laquelle elle se trouvait alors. Toujours affaissée parmi ses volants roses, Julie me dit :

— Eh bien, si j'avais su, j'aurais couru dans la même direction que toi...

Comme je l'aidais à se relever en m'excusant, elle ajouta :

— De toute façon, la cabane est fermée. Il faudra trouver un autre abri.

Sur l'instant, je ne discernai pas la malice dissimulée dans cette phrase. Seule une nuance d'effronterie, venue rosir le teint pâle de Julie, me donna à craindre quelque rouerie féminine, qui me fit dégager de la sienne ma main qu'elle tenait depuis que je l'avais relevée. La pluie chaude avait aplati ses cheveux bouclés de part et d'autre de son joli visage. Ses épaules, sa taille, sa poitrine apparaissaient comme sculptées dans le drapé de sa robe de tulle, sans que l'adolescente en parût autrement gênée. C'est moi qui, le premier, perçus les moqueries et les gloussements. Nous étions seuls au centre de la clairière, sous le regard de la noce. Les mariés eux-mêmes, surpris de n'être plus la cible des attentions, nous observaient de sous un orme voisin.

J'aimais Julie et ce devait être pour toujours. La sympathie que j'avais toujours éprouvée pour ses parents, Adèle et Pierre Langeol, s'en trouva renforcée. Je connaissais bien la famille Langeol que j'avais côtoyée dans des fêtes de famille. En effet, mon oncle Joseph, le frère de Célestin, avait épousé Marie, sœur d'Adèle, la mère de Julie.

Chaque jour, à l'heure où j'aurais dû dormir, j'avais pris l'habitude de rendre visite à Adèle, petite femme vive aux yeux noirs, pétillants de malice. Agée de quarante ans, elle m'apportait la tendresse maternelle qui me manquait. Pierre, son mari, était le boulanger du village voisin. Moins fort que mon père, il n'avait pas pu moderniser sa boulangerie. Il continuait donc à pétrir « à bras », ce qui le fatiguait beaucoup. Cet homme au regard d'un bleu très clair ne se plaignait jamais. Il m'impressionnait par sa droiture et l'affection qu'il manifestait à ses quatre enfants.

Le camion des gravières était conduit par un de mes anciens camarades d'école, qui ne faisait aucune difficulté pour me déposer chaque jour devant la boulangerie de Pierre. Dans le fournil encombré de longues pelles où séchaient les linges, je passais une partie de l'après-midi à deviser avec Adèle. Nous parlions longuement à mi-voix, comme on le faisait en ce temps-là dans les boulangeries, où le repos méridien des hommes était sacré. La petite femme, si intuitive, n'a pas été longue à comprendre que la sympathie que je leur manifestais n'était pas la seule raison de mon assiduité. Un jour, elle me lança :

— Aujourd'hui, il faudra te contenter de moi. Avec tout ce passage, depuis le début de l'exode, Julie ne fermait plus l'œil de la nuit. On l'a envoyée à Strenquels, chez sa cousine Philomène.

12

Nous étions au printemps 1942. Le pays connaissait de terribles privations. La zone non occupée, moins durement traitée, commençait malgré tout à ressentir les effets du rationnement imposé par l'occupant. Le régime de Vichy, après une période de flottement, contrôlait de très près la distribution des denrées vitales, particulièrement le blé et le pain. En proie à des difficultés considérables pour nous procurer des farines panifiables, nous avions décidé, mon père et moi, de rendre visite à César Magnin, un vrai patron de petite industrie. Il était maître minotier. Sa minoterie ressemblait à une maison de famille, qui se reflétait dans les eaux vertes d'un bief canalisé, sillonné de canards. César Magnin appartenait, comme mon père, à cette génération de « fariniers » qui, ayant fait leurs classes dans les bourbiers de la « guerre d'Orient », se sentaient une dette d'honneur envers leurs concitoyens. Ils faisaient tous deux une affaire personnelle à ce qu'on ait au moins du pain à manger.

Il s'avançait vers nous, un peu voûté, en veste de drap gris lustrée et farineuse. Sa tenue était rehaussée d'un nœud papillon qui empêchait qu'on le confondît avec un petit meunier de vallée. Il donna une étreinte à mon père, et à moi, une poignée de main appuyée, car il savait qu'il fallait compter avec moi désormais. La brise ayant apporté jusqu'à nous de fins nuages de repasse, résidus de mouture venus des trémies, Célestin fut pris d'une de ces longues quintes de toux qui le secouaient fréquemment. Bientôt mon père, comme tant de ses confrères, ne pourrait plus mettre les pieds dans un fournil. Sa silhouette, toujours puissante, s'était tassée ; les cheveux et moustaches, presque blancs à présent, le faisaient paraître plus âgé que ses cinquante-six ans.

César Magnin avait quelque chose de stupéfiant à dire.

— La gendarmerie est venue saisir tout mon stock...

Mon père plissa ses yeux ; son expression moqueuse était adoucie, à présent, par sa chevelure enneigée et la voix qui se voilait.

— César... tu ne me prendrais pas pour un autre, j'espère ?

Le minotier sortit de son veston un papier froissé, et me le tendit :

— Tiens, Cyprien, toi qui n'as pas besoin de besicles, lis-lui donc cela. Il comprendra peut-être.

Le document provenait du service du ravitaillement et il annonçait bel et bien la mise sous séquestre des farines de la minoterie Magnin. Les deux hommes ont fait silence un long moment. Puis, mon père a ôté sa casquette, l'a frappée d'un geste d'impuissance contre son genou et a dit, accablé :

— J'aurais cru plutôt voir tarir la Dordogne que ta minoterie sans farine...

Il m'a semblé voir des larmes monter aux yeux du vieux minotier. Se tournant vers les quais, il nous a fait signe d'avancer du côté de la grande roue, qui tournait avec un froissement d'eau majestueux. Nous l'avons suivi à l'intérieur du moulin. Les voix des deux ouvriers, affairés à l'ensachage, résonnaient comme dans une église. Je n'avais jamais entendu s'enfler ainsi les sons dans cet immense hangar. C'est qu'il était habituellement plein, jusqu'aux voûtes de pierre, de balles rondes qu'un système de poulies permettait de faire glisser au sol. A présent, le local résonnait comme un hall de gare, aussi vide et sonore.

Les ouvriers, au lieu de ressembler à des clowns blancs, étaient poudrés d'une belle couleur jaune.

— Mais, c'est du maïs que tu leur fais ensacher ! s'écria mon père.

Le minotier eut un pauvre sourire et répondit d'une voix étouffée, comme s'il redoutait, qu'à être prononcée sous ces arcades sonores, la triste réalité ne prenne corps.

— C'est depuis ce décret du gouvernement, en septembre dernier, sur les produits rationnés. Tu sais qu'ils ont instauré un taux de conversion du blé en farine à 85 %...

Célestin l'interrompit :

— C'était déjà une infamie ! Pourquoi pas bluter à cent pour cent, tant qu'ils y sont ? Ils veulent nous faire bouffer non seulement la repasse et le son, comme les cochons, mais bientôt la paille.

Mon père, soudain très rouge, s'emportait :

— Tu vas voir, bientôt, on ne pourra plus trier les plantes sauvages dans les champs de blé...

— En tout cas, reprit César de sa drôle de voix, on doit proposer aux boulangers de la farine de maïs.

— Tu ne leur as pas demandé s'ils fournissaient les moules, pour faire tenir ça sur la pelle ? demanda mon père, retrouvant son ton moqueur.

Magnin nous fit sortir du hangar et, après avoir

ordonné que l'on nous prépare cinq sacs de maïs, nous glissa sur un ton de confidence :

— Le commandant de gendarmerie m'a dit qu'il avait ordre de faire charger mes farines dans un train en partance pour l'Allemagne.

De retour vers Vayrac, comme la mule retenait sa charge de sacs jaunes, mon père, muet, laissait son regard errer sur les méandres de la rivière. Moi, en voyant miroiter l'eau, je pensais à Giuseppe. Depuis sa mort, elle m'évoquait souvent son cadavre blême, que nous avions découvert dans ce bras putride. Pour chasser cette image, je dis à mon père :

— Si Giuseppe avait été là, en voyant le maïs, il aurait dit : *Commandante*, vous voulez me faire couire la polenta ?

Loin de le dérider, mon imitation de la voix de notre ami le fit se rembrunir :

— A propos, j'ai eu des nouvelles de ton... de Julien Castagnet.

Il avait failli dire « de ton frère ». Mon père souffrait encore de ce qu'était devenu son premier fils. Il tira les guides de la mule, qui avait trop hâté le pas et risquait d'être débordée par le poids :

— Roucaute m'a dit qu'il faisait partie du Service d'ordre légionnaire à Agen, une sorte de milice qu'a mise sur pied Darnand, un de ses copains de la Cagoule.

A mi-chemin, mon père mit la mule à se désaltérer. Il s'était toujours arrêté là, pour faire boire à ses bêtes l'eau d'une source qui bondissait jusqu'au bord du chemin.

— Quand je songe que Rique couche dans les bois et s'occupe à déraciner des souches..., soupirat-il amèrement.

Il tira sur le licol, pour que la bête ne boive pas

trop de cette eau fraîche, en la ramenant sur le chemin pierreux, et ajouta, un peu rasséréné :

— Heureusement que tu es là et que tu vas vite être un homme... Tu pourras bientôt me remplacer.

En remontant sur la banquette, j'ai pris une profonde inspiration. J'étais conscient du coup que j'allais lui porter, mais il me fallait le détromper.

— Tu sais, Julie Langeol et moi, nous nous aimons. Nous avons décidé de nous marier l'année prochaine. Nous nous installerons à Beyssac. Son père est prêt à nous laisser sa boulangerie.

Je ne voyais de mon père que cette masse qui tapotait des fesses sur sa banquette de chêne. Il était déséquilibré chaque fois qu'une pierre plus haute soulevait une roue du chariot. Il se taisait. Ce n'est qu'en vue de la longue ligne droite bordée de grands chênes qu'il me dit :

— Julie a l'air d'une bonne petite. Elle devrait s'y mettre. Depuis toute petite, elle a vu faire du pain chez elle. Mais n'oublie pas que tu risques de devoir partir aux Chantiers de la jeunesse l'année prochaine.

Tout l'été qui suivit, j'assistai à des conciliabules fréquents. Au début, je n'y participais pas, car ces discussions me paraissaient concerner les adultes. J'avais alors dix-neuf ans, et même si j'apprenais à diriger la boulangerie, la forte personnalité de mes parents faisait que je ne me mêlais guère aux discussions politiques. Je suppose que M. Douste qui était l'animateur du réseau de résistance en voie de constitution me considérait encore un peu comme un de ses élèves. Il nous semblait spontanément que seuls les anciens combattants de 14 étaient en mesure de s'opposer à ce qui se passait dans le pays.

Un matin, je surpris une discussion animée entre Célestin et M. Douste. Mon père chargeait la carriole ; c'était jour de tournée. Douste, toujours lyrique et insistant, exhortait Célestin à s'engager. Nous étions à l'abri des oreilles indiscrètes, dans l'arrière-cour de la boulangerie, mais quand l'instituteur lui dit : « Si vous ne le faites pas pour vous, faites-le pour vos fils », Célestin lui coupa la parole, en roulant des yeux à la Raimu.

— Taisez-vous, malheureux ! Vous voulez nous envoyer tous au bagne ?

La casquette relevée sur le front, il brossait ses tourtes soigneusement. A présent, il était soucieux de donner la meilleure apparence possible à son pain, car les farines que l'on travaillait ne donnaient que meules plates et grisâtres.

Douste insista :

— Un homme aussi estimé que vous peut apporter beaucoup à la Résistance.

Mon père était embarrassé. Il savait que l'autre avait raison, mais je compris que Giuseppe lui manquait. L'Italien avait été pendant onze ans sa « conscience » et mon père manquait de décision, peut-être de conviction. Il mit fin à la discussion par ce qui me parut une dérobade.

— Moi, je fais ce que je peux en tâchant d'être un bon boulanger. Ça n'est pas rien, c'est ma façon d'aider le monde. Ne me demandez pas plus. Quant à celui-là...

Il me désignait à Douste avec sa brosse à gros crins.

— Celui-là, c'est encore un gamin, vous n'allez pas me le prendre. J'en ai déjà un aux Chantiers de la jeunesse. Cyprien n'a que dix-neuf ans et j'ai besoin de lui au fournil pour nourrir les gens.

— Il n'y a pas d'âge pour être un homme, répliqua sèchement Douste.

Cela m'a marqué. Si j'étais en âge de prendre la direction de la boulangerie, ne l'étais-je pas de m'intégrer à la Résistance ?

Tout au long de la tournée, mon père eut l'air songeur, incapable des amabilités qu'il dispensait habituellement, en coupant son pain. Je sentais que les propos de Douste l'avaient ébranlé. Son collègue de Saint-Denis, ayant fait une allusion mi-figue mi-raisin au maquis, il s'était emporté, criant presque, dans la salle sombre du café de la Poste :

— Il va bien falloir que les boulangers se décident à faire quelque chose ! On ne peut pas rester comme ça. Nourrir les gens c'est bien beau, mais bientôt, les boches ne nous laisseront plus à manger que la terre des collines.

Quelques jours plus tard, les boulangers du Lot renouèrent avec la tradition de la réunion annuelle, suivie du banquet fraternel. Cette coutume à laquelle ils étaient naguère très attachés avait été interrompue pendant trois ans par la guerre et la désorganisation. Cette année-là, la réunion avait été fixée à Figeac, la sous-préfecture, car cette ville était une des rares à demeurer correctement desservie, à un moment où le réseau ferré français était accaparé par le ravitaillement de l'Allemagne. Mon père avait longuement hésité à participer à ces retrouvailles, car il se sentait fatigué. Sans doute ne voulait-il pas donner à ses compagnons le spectacle d'un homme affaibli et vieilli, d'un boulanger qui doit passer la main prématurément. L'autre raison de son hésitation m'est apparue quand nous sommes arrivés sur place.

A la descente du train, nous avons cheminé à travers un dédale de ruelles. La grande halle couverte était au centre de ce quartier ancien, assombri par les toits des hautes demeures aux façades noircies, de style italien. A proximité du marché, nous avons commencé à rencontrer des couples d'hommes qui retinrent mon attention. Plus que de flâneurs, leur

179

allure était celle d'hommes d'escouades, effectuant une mission de surveillance. Ils dévisageaient d'un œil soupçonneux les petits groupes de passants, dont beaucoup de boulangers, reconnaissables à leur teint pâle, qui hâtaient le pas vers la halle. Célestin, lui, marchait lentement car ses jambes le faisaient souffrir. Il ne disait pas un mot. J'ai compris que ces hommes en béret et cravate noirs qui portaient tous au bras gauche le même brassard noir avaient un rapport avec l'hésitation de mon père à venir au rassemblement. Au détour d'un rétrécissement, nous avons été arrêtés par un groupe. Jeunes, les cheveux coupés très court sous le béret, le regard arrogant, ils contrôlaient les papiers d'un groupe de boulangers. J'ai pu examiner le brassard de celui qui se trouvait près de moi : il avait une forme de losange et présentait un écusson tranché en deux par une épée, de part et d'autre de laquelle on pouvait lire : SO.

Se penchant sur moi, mon père me dit à l'oreille :

— C'est le Service d'ordre légionnaire de Darnand.

Il allait ajouter autre chose, quand le bruit d'une algarade nous parvint. Quelques rangs devant nous, la file d'attente s'agitait, se tordait. Nous avons alors distingué le grand Brivezac, un boulanger des environs de Figeac, qui tenait l'un de ces types au collet et hurlait :

— Je ne vois pas pourquoi je vous montrerais mes papiers... Vous êtes de la gendarmerie, de la police ?

Un afflux d'hommes en uniformes sortant de sous la halle avait entouré Brivezac. Le boulanger disparut sous les chemises brunes. Des poings se levaient, on entendait le bruit des coups qui s'abattaient sur l'infortuné. Mon père avait senti mon désir de porter secours aux collègues qui agrippaient les miliciens. Peu accoutumés à la bagarre, les boulangers donnaient plutôt de la voix que du poing. Me désignant l'homme roux devant lequel s'ouvraient à présent les rangs des hommes en béret, Célestin me retint par la manche. C'est alors que je reconnus Julien. Il avait vieilli. Il portait le même uniforme que ces hommes, à qui il semblait donner des ordres. J'ai d'abord cru qu'il ne nous reconnaissait pas. Il parlait de sa voix toujours stridente, jetant de petits coups d'œil en notre direction, à la dérobée. Puis, il fit signe à ses hommes de se replier et disparut. Sa grande silhouette un peu voûtée au milieu des uniformes se perdit dans les ruelles et ce bruit de bottes, résonnant sur les pavés, est le dernier souvenir que j'ai de lui.

Comme d'habitude, rien de très constructif n'était sorti de la réunion. Chacun devrait se débrouiller avec les réglementations nouvelles, les tickets de pain à transmettre aux préfectures, les comptabilités matières à tenir. Certains essayeraient, comme on le leur ordonnait, de faire du pain avec du maïs, qui coulerait de la pelle et qu'il faudrait racler sur le sol du fournil. On sentait bien qu'avait commencé, pour les boulangers, une période où leur pouvoir sur leurs concitoyens affamés serait considérable. Chacun devrait en user selon sa conscience. Ce n'étaient pas les réunions syndicales qui les aideraient à régler ces problèmes-là. Je compris vite que chaque collègue avait commencé de s'arranger dans son coin, avec les ressources du terroir et la mansuétude relative de la gendarmerie locale.

A l'heure du banquet, nous étions cent quarante-huit sous le grand quadrilatère pavé, qui résonnait du cliquetis des couverts. A côté de mon père, qui paraissait ragaillardi et faisait bonne figure à ses voisins de table, je levais fréquemment la tête, car j'étais sensible à l'atmosphère médiévale qui se dégageait des lieux. Les énormes piliers de bois soutenaient une charpente aux structures puissantes, dans laquelle trouvaient refuge des compagnies de pigeons. Le ballet des serveurs en tabliers blancs allait bon train.

Après le chateaubriand sauce madère, très apprécié en cette période de restrictions, Amédée Billoux, le meilleur ami de mon père et mon voisin de table, me donna un coup de coude.

— Ça y est, c'est pour Célestin ; ils vont lui demander de chanter...

Puis Amédée, comme les autres, se mit à taper sur la table en criant :

— Célestin, *Les blés d'or* ! Célestin, *Les blés d'or* !

Les sollicitations, soutenues de bruits de couteaux et fourchettes, faisaient un fracas sous les voûtes de pierre. Mon père dénoua sa serviette, leva le bras pour réclamer le silence. Après une profonde inspiration, sa voix lourde s'éleva :

— « Nous irons écouter la chanson des blés d'or... »

Soudain, un brouhaha se fit derrière nous. Une voix claire lança :

— Au pourcentage où vous l'échangez, le blé, vous autres, dans la vallée de la Dordogne, il peut bien être d'or.

Des cris d'indignation firent taire les importuns. Mon père s'était interrompu. Sa belle voix profonde résonna sous la voûte :

— Je n'ai pas demandé à chanter... Je croyais m'être rendu à une réunion fraternelle... Je suis désolé de voir qu'il n'en est rien.

Le repas s'acheva dans la confusion. Seules les fraternités bien établies empêchèrent les antagonismes de dégénérer en pugilat. De vieux compagnons faisant le même métier ne pouvaient en venir aux mains, mais ils s'aimaient moins. Dans le wagon du retour, la traversée du Causse me parut cauchemardesque. Les genévriers dansaient sous la lumière blafarde. Mon père et Billoux restèrent d'abord longuement silencieux. Puis, ils ruminèrent des souvenirs de leur jeunesse, à l'armée d'Orient. Je les sentais incapables d'inventer, et même de participer à d'autres formes de fraternité, à d'autres luttes.

La tragédie de la défaite avait entraîné la renaissance de rues entières de Vayrac, dépeuplées depuis 1914. Si, quelques semaines après la débâcle, beaucoup de réfugiés avaient regagné leur région, plusieurs familles, juives pour la plupart, étaient demeurées dans le quartier de Saint-Germain. Ces gens avaient été les premiers à s'installer au bourg, dès le mois de mai 1940, beaucoup attendant une opportunité pour rejoindre les Etats-Unis. Tous étaient porteurs de savoirs et de techniques qu'ils mirent au service de la population locale, le temps de leur séjour chez nous. Cela n'avait pas été sans entraîner de profondes modifications dans le mode de vie des villageois. On s'était habitué à eux, et certains étaient considérés comme des gens du village. Avions-nous conscience qu'ils n'étaient que de passage ? On avait entendu de nouveau, dans les ruelles désertées, les bruits de la vie ; c'était comme si le sang s'était remis à circuler dans un organisme engourdi. Des cordonniers tapaient sur des sabots de bois, le son d'une harmonie faisant ses gammes réveillait la rue Drappès. Venu du porche de la forge d'en face, noire et silencieuse depuis la saisie dramatique de Broussie, on entendait de nouveau le chant d'une enclume.

Mais l'été 1942, qui s'était annoncé comme celui de la sécheresse, fut aussi celui de la grande rafle. Depuis la fin du mois de juin, la rivière, anormalement basse, coulait, de creux en creux, sous le soleil blanc, pour aller mourir dans l'abri des falaises. Par manque d'eau, il y eut bien peu de blé au creux des vallons. La « Haute Forteresse » elle-même paraissait avoir la pelade sous les poussières des mousses de ses chênes blanchis. Pour les villageois, cela n'annonçait qu'un surcroît de malheur.

Lorsque les sabots des chevaux de la gendarmerie avaient claqué sur les pierres du chemin vieux, les volets battaient au vent sur des maisons vides. Les réfugiés avaient fui dans la nuit, ayant appris qu'une rafle de juifs avait commencé dans les grandes villes de la zone Sud. Plus tard, à l'heure des comptes qu'il faudrait rendre à la population du village, Roucaute et ses hommes affirmeraient qu'ils avaient seulement consigne d'effectuer le recensement des juifs étrangers. Sans savoir encore de quoi Vichy était capable, chacun se méfiait. Il y avait lieu de redouter le pire de la part de ce pouvoir, qui dès octobre 1940, devançant même les désirs de l'occupant allemand, avait promulgué le statut des juifs.

Depuis le banquet de Figeac, mon père se montrait soucieux, comme si, pour la première fois, lui faisait défaut cette boussole intime qui lui montrait la direction de son devoir. De mon côté, à dix-neuf ans, il me fallait songer à mon avenir. J'ai informé ma mère de mes projets de mariage avec Julie. Amélie, qui les connaissait depuis plusieurs semaines, s'est bien gardée de me montrer son sentiment réel. Lorsque j'ai évoqué le sujet pour la première fois, elle s'est contentée de pincer la lèvre inférieure, et de me déclarer sur un ton neutre :

— Vous ferez bien comme vous croirez devoir.

Puis elle a continué d'épousseter son comptoir, d'un geste un peu plus saccadé. Connaissant ma mère, je m'étais bien gardé de considérer que la partie était gagnée. Amélie n'accepterait pas facilement de me voir « émigrer » à Beyssac. Malgré mes remords de laisser la boulangerie Charrazac sans un patron capable de passer les nuits, j'étais déterminé. Les parents de Julie étaient de tempérament beaucoup moins dominateur que celui de ma mère, et ils nous auraient laissé la conduite de leur boulangerie. De surcroît, gazé à Verdun, Pierre Langeol, pourtant plus jeune que Célestin, avait compris qu'il ne survivrait qu'à condition de changer d'activité.

Tout l'hiver suivant, Célestin avait beaucoup toussé. Grand arbre délabré par les batailles nocturnes, il était comme ces vieux noyers à la ramure impressionnante, et dont, pourtant, sous l'écorce épaissie, la chair n'a plus la même fermeté. Le paludisme l'avait jeté dans de tels accès de fièvre que le docteur avait été impuissant à le soulager. Tout manquait alors, y compris la quinine. C'est pourquoi nous avions été rassurés de le voir reprendre des forces avec les beaux jours, et même, les fins de nuit, reprendre sa place parmi nous. Amélie, au-delà de l'affection qui la liait à son mari, fut soulagée de ce retour au travail nocturne, qui avait à ses yeux une autre vertu. Célestin de nouveau au fournil, il avait moins l'occasion de servir la clientèle du magasin. En effet, le Célestin des années trente, même vieilli, n'avait pas varié de sa ligne de conduite de toujours : « Le pain ne se refuse pas. »

Cette grande bonté de mon père avait été entre eux une source de disputes permanentes. Elle devenait périlleuse dans une période où l'on ne pouvait vendre un kilo de pain sans le ticket correspondant, qu'il fallait adresser tous les mois à la préfecture.

J'ai vu vingt fois, alors, des petites filles de la campagne se dandiner d'un pied sur l'autre devant le magasin, ou faire semblant de s'intéresser à la partie de boules, jetant des regards à la dérobée, jusqu'à l'apparition de Célestin derrière le comptoir. Certaines avaient même remarqué que ma mère montait au bureau de tabac acheter les titres de mouvement des farines, aux environs de 16 heures. Il y avait à cette heure-là un afflux de vélos noirs posés contre le muret d'en face. J'eus maintes fois l'occasion d'observer le comportement de mon père avec des femmes sans ressources, réfugiées de la ville. Pour elles comme pour tous, le pain était une composante vitale de l'alimentation. Sans les compléments de ravitaillement des fermes alentour, les gens des villes repliés chez nous devaient subir la faim, qui était, dans la zone occupée, le lot de bien des gens des villes.

Je revois particulièrement Simone Delpeyrat, une petite dame de Paris, toujours bien mise et très digne. Elle se trouvait isolée au village, sans nouvelles de son mari prisonnier, ses trois enfants pendus à sa robe. Elle entrait au magasin, enveloppée dans une veste de loutre, vestige des années heureuses. La fatigue et l'angoisse marquaient son visage, mais elle n'en laissait rien paraître. J'ai assisté plusieurs fois à la même scène. Après qu'elle eut rangé ses trois pains dans son cabas, elle tendait sa carte de rationnement à mon père, qui lui disait en bougonnant :

— Voyons, madame Delpeyrat, vous me les avez déjà donnés.

Comme la dame le regardait, n'osant croire à l'aubaine, il faisait le tour du comptoir, et la poussait dehors en lui disant tout bas :

— Revenez demain, mais un peu plus tôt.

Je n'oublierai pas le regard de tendresse bourrue qu'il avait en la reconduisant, sa forte main sur l'épaule du plus grand des enfants. Les contrôles des tickets de pain, transmis à la préfecture du Lot par les boulangers, restèrent extrêmement rares. Mais dès 1942, les services contrôlant le ravitaillement ont été sérieusement renforcés. Nous n'allions pas tarder à l'apprendre à nos dépens...

13

C'était un jour d'octobre 1942. Un vent froid tour-
noyait dans les platanes, dont les feuilles jaunies
jonchaient le seuil du magasin. Ma mère trônait
derrière son comptoir pendant que je rangeais les
pains chauds sur leurs étagères. J'ai vu deux gendarmes entrer dans la boutique, l'air embarrassé.
Roucaute, à présent proche de la retraite, était
accompagné d'un jeune subordonné qui paraissait
un peu fébrile.

Amélie toisa les deux hommes, sourcil relevé.
Roucaute déclara, d'une voix qu'il voulait assurée :

— Madame Charrazac, il faudra que Célestin se
rende à Cahors.

Ma mère n'avait pas cessé d'épousseter son
comptoir.

— Et pourquoi, s'il vous plaît ? demanda-t-elle
d'un ton glacial.

Le brigadier se retrancha prudemment derrière
le papier qu'il lui tendit :

— Tout est expliqué sur cette convocation, que
vous devez signer et me rendre...

Amélie prit le papier vert, le déplia posément sur

son comptoir, le lut en prenant son temps. Puis, elle releva la tête, les ailes du nez dilatées et les épaules rejetées en arrière.

— Vous faites là un joli métier brigadier..., dit-elle en détachant ses mots.

Comme Roucaute prenait son inspiration pour protester, elle enchaîna avec toute l'assurance dans la voix qu'elle pouvait avoir lorsqu'elle voulait faire mal et qu'elle se sentait en position de force :

— Notre pain est fait avec du blé français, vous savez ça, Roucaute ? Et les Français ont plus de droit sur ce pain que les Allemands qui n'ont pas pris la peine de le faire venir... N'est-ce pas, brigadier ?

Roucaute était blême et ne répondit rien. Je ne me pressais pas de placer mes couronnes et dégustais la scène. Je savais qu'Amélie tenait le brigadier-chef : il eût été bien en peine de nourrir ses quatre gosses avec les rations réglementaires, et sa femme avait souvent droit aux largesses de ma mère.

Quelques jours plus tard, mon père et moi nous trouvions pourtant dans l'autorail pour Cahors. La vallée était noyée de brumes matinales qui ne laissaient distinguer que les falaises et les clochers fortifiés des églises. Célestin me montra le « sentier des pirates », que l'on voyait se dessiner sur le flanc de la roche de Mirandole, et par lequel, jusqu'au XVIIᵉ siècle, après avoir pillé les gabares, les malandrins disparaissaient dans les grottes.

— Notre pays a toujours su mieux abriter les bandits que les honnêtes gens, observa-t-il avec amertume.

Je répondis, presque sans réfléchir :

— Bientôt, il va bien falloir que les jeunes trouvent à se cacher, s'ils ne veulent pas partir en Allemagne.

Il hocha la tête, sans rien dire. Le Causse émergeait du brouillard. Les rayons obliques du soleil, caressant les mousses des murets, allumaient leurs barbules rousses. L'autorail secouait ses tôles dans un paysage lunaire où les creux de terres, noyées de nappes blanches, ne laissaient émerger que chênes rabougris et genévriers. Un long silence s'était établi. Au moment où je croyais qu'il s'endormait, Célestin me dit, me montrant le paysage qui s'enfuyait, en rampant, jusqu'aux rebords du fleuve :

— Comment veux-tu survivre là-dedans ?

Je n'ai pas répondu, ne voulant pas le heurter. Nous savions que des patriotes vivaient depuis des mois dans les bois épais de la proche Corrèze, mais se cacher là, dans les bosquets de chênes nains, il avait raison...

— Pars aux Chantiers de la jeunesse, puisque tu vas être appelé, me dit-il. Tu verras bien là-bas comment tout cela s'organise. Les maquis ne sont pas mûrs pour le moment. Les Allemands les dénicheront quand ils voudront.

Lorsque le train entama la descente des coteaux de Cahors, les collines pelées se découpaient sous un ciel tourmenté. Il avait dû y avoir un orage d'été, soudain et violent, car les eaux du Lot étaient hautes et jaunes.

De la gare à la préfecture, où nous étions convoqués, j'ai remarqué une agitation inaccoutumée. La circulation était beaucoup plus dense que lors de mes passages précédents. Mon père avait revêtu son costume du dimanche, bleu marine avec des stries rouges. Sa raie sur le côté était impeccablement tirée, Amélie y ayant veillé personnellement. Il marchait de son allure de vieil athlète. Son pas lent et son balancement d'épaules tranchaient avec la démarche pressée des gens sur le trottoir. A voir la mise de la plupart d'entre eux et à saisir des bribes de conversation, on comprenait que beaucoup étaient des réfugiés du nord de la Loire. Après la débâcle, ils étaient demeurés à Cahors, en attente on ne savait de quoi. A la préfecture, mon père me pria de l'accompagner en me disant que, puisque j'étais appelé à diriger une boulangerie, où que ce soit, il fallait bien que je commence à me frotter aux fonctionnaires. C'est ainsi que nous nous sommes retrouvés dans le petit bureau encombré de dossiers du « chef de section Vidaillac ». C'était en effet le grade et le nom qui figuraient sur la porte du réduit où nous avons été reçus, après que mon père se fut présenté à un agent au visage étroit, portant lorgnon.

Vidaillac était un très gros homme, qui devait passer une partie de sa journée à manger. Je faillis pouffer de rire en repensant à l'intitulé de la plaque de cuivre toute neuve figurant dans l'entrée de l'immeuble : « Service du ravitaillement ». L'idée me vint que celui-là, au moins, était bien à sa place. Dès notre arrivée, il avait fouillé longuement dans une armoire, avant d'en extraire un dossier. Tout le temps qu'il nous a parlé, l'homme en bras de chemise s'est tamponné le front d'un grand mouchoir à carreaux. Comme il nous avait fait signe de nous asseoir, j'ai laissé la chaise la plus robuste à Célestin. Les yeux de mon père laissaient transparaître plus d'ironie que de crainte.

— Boulangerie Charrazac à Vayrac, n'est-ce pas ?

Avant que nous puissions répondre, Vidaillac avait posé sur son bureau une grande enveloppe extraite du dossier. Je reconnus immédiatement le modèle à soufflets dans lequel ma mère rangeait les tickets de pain qu'elle postait toutes les semaines.

— Vous reconnaissez l'enveloppe, n'est-ce pas ? a demandé le gros homme de sa voix un peu grasseyante.

Mon père prit le paquet au dos duquel, comme il était obligatoire, figurait le cachet de sa boulangerie.

— Il me semble bien que ce soit une de nos enveloppes, répondit-il d'une voix égale.

Le fonctionnaire étala le contenu de l'enveloppe comme l'on fait d'un jeu de cartes. Au milieu de quelques rares tickets de pain, figuraient des coupures de *La Dépêche*, des pages de l'Almanach Hachette, et même quelques-unes du périodique de l'évêque.

C'était au tour de Vidaillac de considérer mon père, avec de petits yeux bleus, ironiques :

— Vous êtes un grand lecteur, monsieur Charrazac, mais, vous savez, j'ai mon propre abonnement à *La Dépêche*. Ce n'était pas la peine de me faire parvenir vos vieux numéros... Bien, voulez-vous que nous comptions ensemble les tickets de pain ?

Mon père, casquette relevée sur son front, écarquillait ses lourdes paupières, comme à la manille, lorsqu'il voulait faire croire qu'il n'avait pas de jeu.

— Vous savez, monsieur le chef de section, je ne compte pas chez moi. Ça n'est pas pour venir compter ici.

Vidaillac ne parut pas apprécier excessivement la réponse. Il tendit une feuille bleue à mon père en le priant de la signer et déclara :

— Votre boulangerie est fermée pour un mois. Ceci est un premier avertissement.

Puis il se leva pesamment et nous reconduisit jusqu'à la porte, ajoutant, dans le couloir :

— Tâchez d'être plus raisonnable. Les fraudes sur le pain sont des délits très sérieux par les temps qui courent. La prochaine fois, vous pourriez bien avoir affaire aux Allemands eux-mêmes.

Une fois dehors, Célestin parut soudain pressé de quitter les lieux. Il traversa le boulevard Gambetta, tête penchée en avant, sans se préoccuper des voitures qui klaxonnaient. En le rejoignant, je compris que même s'il avait fait bonne contenance devant le fonctionnaire, mon père était quand même éprouvé, n'ayant jamais, au long de sa carrière de fraudeur ordinaire, été confondu par l'autorité. Il marmonnait dans sa moustache des phrases incompréhensibles, où il était question de la trahison de l'administration vendue aux Allemands.

— On ne peut quand même pas laisser les gens crever de faim, bougonna-t-il lorsque je parvins à sa hauteur.

A présent, il gesticulait sur le trottoir. Des gens se retournaient sur ce colossal bonhomme aux cheveux blancs. Puis, il me dit brusquement :

— Puisque notre train n'est que dans deux heures, on va aller rendre visite à mon ami Estaval.

Sous un ciel toujours sombre, nous avons marché jusqu'aux rives du Lot. L'eau jaune venait se briser sur les piles du pont Valentré. Je fus surpris de voir des mouettes survoler les remous. C'est tout près de là que se tenait la boulangerie Estaval. Tous les commerces qui bordaient la placette étaient assiégés par des files de gens. Ceux-ci — les femmes, surtout — étaient habillés avec plus de recherche que les réfugiés que j'avais l'habitude de voir à Vayrac. On parlait pointu dans les queues. La plus impressionnante était celle qui débordait du trottoir de la crémerie voisine. Sur la devanture de bois vert, repeinte de frais, on pouvait lire une grande affiche manuscrite indiquant qu'il restait du chocolat. La boulangerie aussi était prise d'assaut. Nous avons donc longé les murs lépreux d'une venelle, d'où provenaient des odeurs de pain chaud.

— Estaval a réussi à se procurer de la farine blanche, me dit mon père en les humant. C'est vrai qu'il a toujours su être en bons termes avec les autorités.

Dès le seuil du fournil sombre, un petit homme rondouillard, tout de blanc vêtu, nous aperçut.

— Hé la boulange ! s'écria-t-il. Ma parole, Célestin ! Viens un peu à la lumière que je te voie.

Avisant les cheveux blancs de mon père, il le plaça sous la lumière du tour. Il hurlait, car son fausset avait du mal à couvrir le bruit des deux pétrins qui tournaient simultanément :

— Regardez, la jeunesse ! Voilà le plus costaud des boulangers de la vallée de la Dordogne...

Célestin a esquissé un sourire. Il avait accroché à ses pommettes l'air faussement modeste qu'il affectait de prendre avec ses vieux compagnons. Levant un index, il précisa :

— D'avant-guerre... L'autre.

Les commis s'affairaient autour du four. Celui-ci comportait une fosse, car il était à deux étages. Quand la vendeuse est venue remplir de pains fantaisie le chariot de fer, elle a lancé au fournier, qui défournait à grand train :

— Si tu peux accélérer... Ils se moquent que le pain soit cuit, au contraire. On leur mettrait des pâtons crus dans le cabas, ça leur irait quand même... Tu sais comme ils sont, les Parisiens.

Le commis, un rude aux grosses rides de sécheresse qui barraient son front rouge, secouait la tête en marmonnant une protestation, que le bruit et la tige d'acier entre ses dents rendaient inaudible. Mon père avait pris Estaval par le bras, l'entraînant à l'écart du pétrin pour lui raconter ce qui avait motivé notre venue à Cahors. Le maître-boulanger l'écouta jusqu'au bout, esquissa un sourire, et dit avec l'accent des faubourgs de Toulouse :

— Tu es toujours le même fou... Est-ce que tu n'as pas suffisamment de clients pour éviter de te lancer dans des histoires pareilles ? Tu n'as pas entendu, au dernier banquet ? Le président du syndicat nous a prévenus qu'ils venaient d'affecter tout un bataillon de fonctionnaires pour contrôler le ravitaillement.

Il nous laissa un instant pour apostropher un mitron qu'il avait surpris à peser un peu lourdement un pain. Sa voix naturellement aiguë atteignit l'intensité de celle d'un goret qu'on égorge.

— Tu veux donc que ce soit l'émeute devant le magasin, que tu me fasses si bonne mesure ?

Revenant vers nous, il se justifia :

— L'essentiel, c'est que chacun ait un peu de pain. Vous avez vu la file d'attente là-haut ? Il y en a qui attendent depuis plusieurs heures. Alors, quand ils voient les chariots vides, ils se mettent à gueuler, les femmes surtout... J'ai déjà dû appeler deux fois la police. Heureusement, le commissariat est tout proche.

Nous sommes sortis du fournil et avons remonté la venelle jusqu'à l'entrée de la boulangerie.

— Y a-t-il tout le temps autant de monde ? demanda Célestin, perplexe.

— Tous les jours. Ça ne désemplit pas de la journée, même plus moyen de faire la sieste ; je les ai sous mes fenêtres... Tiens, tu vois la belle brune avec sa fourrure, celle qui ressemble un peu à Arletty... Crois-moi si tu veux, c'est la femme d'un ancien préfet. Eh bien, l'autre jour, elle a bousculé la vendeuse en disant qu'on organisait la pénurie, qu'il devait bien rester du pain. Elles ont déboulé au fournil à une dizaine, comme des furies, et elles m'ont emporté le pain que je mettais de côté pour les cochons.

Comme Célestin allait ouvrir la bouche, et craignant sans doute qu'il ne quémande du blé, ou une intervention auprès de la police, Estaval s'empressa d'ajouter :

— Le commissaire me disait l'autre jour qu'il y a cinquante mille habitants à Cahors, contre dix mille avant la guerre. Crois-moi, Célestin, tu ne connais pas ton bonheur d'être dans ta petite vallée, à l'écart des grandes routes.

Célestin secoua la tête, et me dit de prendre congé, renonçant à demander quoi que ce soit à Estaval. Nous sommes repartis pour la gare, en tâchant de ne pas nous faire écraser.

A quelque temps de là, ce même automne 1942, la boulangerie se trouva à court de combustible. Il devint alors vital de monter à La Martinie faire une grande coupe de bois. Mon père manifesta l'intention de venir nous prêter main-forte. Nous avions décidé de faire provision pour tout l'hiver, car aucun signe n'indiquait la fin prochaine de la guerre et l'arrêt de l'occupation. Nous étions donc montés, marchant près des bœufs roux, seuls capables de tracter les arbres qu'il faudrait redescendre dans la vallée, après trois jours passés dans les bois d'automne. Le ciel était envahi de nuages de chaleur qui dansaient la gigue et avaient rameuté une cavalerie de croupes sombres, frangées de blanc. La chaleur de l'été n'avait pas encore lâché prise, et la plaine suffoquait, comme étouffée sous une large main blanche.

Au fur et à mesure que nous montions, brinquebalés au pas lent des bestiaux, les feuillages s'espaçaient. Une fois gravie la bosse du Teillet, j'éprouvai un saisissement à voir les prairies pentues, comme jetées à l'assaut d'un carré de ciel demeuré bleu. Restait une dernière plongée, dans l'ombre des chênes, puis il fallait franchir le pont de bois branlant sur le ruisseau, qui donnait accès au pays de mon père. Le hameau, que l'on voyait de toutes les buttes des environs, semblait à présent flotter en plein ciel. Il était arrimé aux grands arbres, réfugié là, sous un ciel soudain sans bornes. La chaleur de la vallée cédait sous le vent. Je découvris un autre ciel, plus vaste, plus contrasté. Le gris étriqué d'en bas avait fait place à un horizon soudain bleuté. La Dordogne, si loin, si bas, échappait aux mâchoires blanches des falaises. Nous étions toujours dans le même pays, mais, vu d'ici, des hauteurs de la Corrèze, le Cirque de Montvalent semblait ouvert sur la mer.

Louradour était là, comme toujours, à nous regarder monter jusqu'à lui. Lorsqu'il m'a vu, il s'est approché de moi pour y aller de son antienne, puis il a avisé mon père, un peu en retrait derrière moi. Le vieillard a alors ouvert des yeux hallucinés et s'est enfui à travers la vigne en pente, comme s'il avait vu un revenant. Célestin s'était interrompu, cherchant son souffle. Son visage ne laissait transparaître aucune moquerie, simplement un peu de contentement, que ce rite marquant son retour dans son hameau natal fût respecté. Il était surtout content que le vieux Louradour, qui depuis si longtemps n'avait plus sa tête à lui, fût encore de ce monde.

J'ai demandé à Célestin pourquoi le vieux n'avait pas prononcé la phrase habituelle.

— Ne te fais pas de souci pour lui. Demain, il recommencera à dire à tout le monde qu'il m'a vu, que je suis venu en permission. Parfois, il ajoute que j'avais mes épaulettes de maître de bosse ou ma canne de bagarre, parce qu'il m'aura confondu avec mon père, Charrazac le Marin, répondit-il.

Anna nous attendait sur son perron. Ma grand-mère se faisait vieille. Elle qui n'avait pas cru survivre à son mari, plus que le temps de voir ses enfants tirés d'affaire, faisait, comme elle disait, de la « prolongation ». Son visage, raviné de rides qui me parurent s'être encore creusées, s'éclaira dès qu'elle nous vit. Elle m'accueillit debout, se massant les reins, et dit à Célestin de sa voix toujours sonore :

— J'ai compris que tu arrivais quand j'ai vu Louradour traverser sa vigne en courant...

Mon père souriait de plaisir de voir sa mère, et à la perspective de ces trois jours à La Martinie. En avisant les bouteilles de vin frais sur la table, il a lancé à Anna, en patois :

— On a failli attraper la grande soif en montant. Je me disais : heureusement que la mère connaît l'allemand... Je vois que tu as passé commande à Helmut.

Ils éclatèrent tous de rire, sauf Adrien, qui ne connaissait pas l'histoire d'Helmut. Il s'agissait d'un prisonnier allemand, mis, en 1917, à la disposition de ma grand-mère, car elle avait deux fils à la guerre. Helmut se sentait si bien dans cette ferme de Corrèze qu'il avait rapidement appris les quelques mots de patois qui lui permettaient de comprendre les commandements d'Anna. Aussi, celle-ci toute fière accueillait-elle ses visiteurs en leur affirmant qu'elle avait appris à parler allemand. Devant l'incrédulité des voisins, elle hurlait de sa voix rauque :

— *Helmut ! Vaï t'en tira à béouré.*

Stupeur des villageois et fierté de ma grand-mère, à constater que les difficultés des langues étrangères avaient été exagérées par les enseignants, toujours occupés à faire les intéressants.

Nous nous sommes installés sous les arbres. Les autres arrivèrent bientôt, à pied ou en carriole. Pour les frères de mon père, ces retrouvailles dans le berceau de la famille, au point culminant de la région, étaient des occasions qu'aucun n'aurait voulu manquer. Bientôt la farce dure fut servie.

Le repas dura, accompagné de l'accordéon de Gustave. Les notes volaient sous les tilleuls. Elles étaient le signal pour les voisins qui se passèrent le mot : « la tribu Charrazac est là ». Ils tirèrent leur chaise jusqu'à la lumière pour profiter avec nous de l'aubaine d'une belle soirée à deviser et à chanter.

Les épouses de mes oncles n'avaient pas été conviées et, en vérité, elles goûtaient peu ces rassemblements des fils Charrazac autour de leur mère. Mais qu'y pouvaient-elles ? Pour être de « là-haut », il fallait être né dans le chambrou.

Le chambrou était une petite dépendance de la maison, qui avait dû jadis abriter le cochon que l'on appelait *lou téchou,* avec une nuance de tendresse comme s'il se fût agi d'un enfant (d'ailleurs on appelait également le plus jeune enfant *lou téchou*). S'il était tout petit et s'était couronné les genoux en tombant, pour le consoler, on lui disait *lou paouvre téchouno,* « le pauvre petit cochon ». Le cochon familial du chambrou de La Martinie était entouré d'une affection qui ne se démentait pas jusques et y compris à l'instant de son égorgement.

Le lendemain matin, dès la pointe du jour pour éviter les grosses chaleurs, nous avons gravi le Mas del Treil noyé de brumes blanches. Planté face au hameau de La Martinie, le vieux volcan présentait une forme de pyramide écrêtée. Après avoir suivi la tranchée couverte de fougères, parsemée de troncs sciés à ras, nous sommes parvenus au-dessus des brumes que le soleil n'allait pas tarder à faire disparaître. Le plateau rocailleux sur lequel nous nous trouvions était un très ancien cratère, inoffensif depuis des millénaires. Nous apercevions les quatre maisons, dont celle d'Anna, cernées de prés pentus et de vignes. Le vert profond des sapins coiffait les collines. Le vieil oncle Philibert nous avait accompagnés pour nous indiquer les limites de la coupe, car il était le seul survivant ingambe de l'époque où « le Marin » avait établi le bornage. Notre bois, qui occupait presque tout le dessus de la butte, était planté de chênes et de peupliers, pour la plupart cinquantenaires. Sous prétexte de regarder le paysage, Célestin avait dû faire plusieurs pauses pendant l'ascension. En suffoquant, il s'était dirigé vers son peuplier. Il fit le tour de l'arbre, effleurant le tronc d'une main retenue. Je lui ai crié, pourtant certain de la réponse :

— Veux-tu que nous commencions par couper celui-ci ?

La réponse a fusé :

— Quand je ne serai plus là, vous ferez ce que vous voudrez.

Pour une fois, mon père, le *moucondié*, avait manqué d'humour. Je savais bien que cet arbre avait été planté par mon grand-père « le Tonkinois », le jour de la naissance de Célestin.

Charrazac « le Marin » était « maître de bosses », habitué à scruter la courbure de la terre et à repérer les mâts lointains. En le plantant, il n'ignorait pas qu'un jour cet arbre serait vu de tous les points élevés de la contrée. Vingt ans plus tard, à trente kilomètres à la ronde, que ce soit dans le Lot ou en Corrèze, il se trouvait des villageois pour le nommer par son vrai nom : « le Pivoul », qui signifie le peuplier en patois. On disait « le pivoul », comme s'il n'y en avait eu qu'un seul dans ce pays, où ils sont pourtant des milliers à faire cortège au moindre cours d'eau. Simplement, celui-là se voyait de partout, et je savais bien que, pour notre famille du moins, il était sacré.

Célestin, l'air préoccupé, examinait l'écorce. Il me montra une longue traînée brunâtre qui m'avait échappé : elle courait, jusqu'au plus haut que l'on pouvait voir, et s'enfouissait, comme une mauvaise blessure, dans un épais collier de plantes grimpantes qui serpentaient vers les branches supérieures.

— C'est la mort de l'arbre, cette saleté...

Il tapait avec les poings sur l'écorce du pivoul, comme pour se persuader que l'arbre de son enfance ne pouvait pas mourir. Mais l'arbre sonnait creux. J'ai vu du désarroi dans les yeux de Célestin. Le soleil et l'effort de l'ascension donnaient à son visage pâle une carnation inhabituelle, violacée. Je n'ai pas eu le temps de m'en alarmer. Des voix, à flanc de vallon, m'appelaient à la rescousse. Les scies et les cognées se faisaient entendre en contrebas. Je rejoignis les commis, les frères et les neveux de mon père. Déjà, un grand châtaignier s'abattait dans la tranchée. Comme nous nous apprêtions à débiter le géant, des voix ont résonné sur le versant opposé. On chantait de l'autre côté du ruisseau... Intrigués, nous sommes restés un long moment à reprendre notre souffle et à écouter. C'était étrange... Les bribes de la chanson qui nous parvenaient n'avaient rien à voir avec les chants piémontais que j'avais entendus dans ces bois, chantés par des forestiers italiens établis à Beaulieu. Non, la brise matinale nous portait les lambeaux d'une mélodie connue, mais que nous peinions à identifier. Comme un puzzle dont les pièces se seraient mises en place, une à une, un coup de vent nous apporta une phrase que nous reconnûmes :

— Formez vos bataillons !...

L'écho, rapide et profond, renvoya : « Formez vos bataillons ! » comme si un autre groupe, là-haut, à La Martinie, avait repris le chant. Nous nous regardions tous, frissonnant soudain sous le vent chaud. Gustave, le premier, entonna le refrain : « Aux armes citoyens ! » Sa voix était tendue par l'émotion.

Les deux versants se sont mis à chanter à l'unisson, et l'écho a longtemps roulé dans la vallée. Après quoi, une vingtaine d'hommes sont sortis de l'abri épais des mélèzes. Ils étaient jeunes et armés, certains torses nus, d'autres habillés de semblants d'uniformes. En les voyant, le vieux Philibert m'avait pris par le bras. Je l'ai entendu murmurer, des sanglots de fierté secouant sa voix :

— C'est le maquis de Corrèze.

Un craquement venu du sommet de la butte interrompit les échanges fraternels qui venaient de s'ébaucher avec les jeunes gens. Levant les yeux vers le plateau du vieux volcan, d'où provenait le bruit, nous vîmes le grand pivoul s'effondrer doucement, puis disparaître à notre vue, tandis que le bruit de sa chute se propageait jusqu'au puy Turlot. Un cri d'homme, à peine perceptible, avait accompagné le fracas du bois éclaté. Gustave et moi avons été les premiers à comprendre. Nous avons couru dans le sous-bois pentu d'où s'envolaient les rapaces dérangés. Je parvins le premier dans l'enchevêtrement de branchages, en appelant mon père. Seul l'écho me répondit. Puis un gémissement de bête à l'agonie nous parvint de sous le tronc du peuplier. Après avoir écarté des ramures sèches et âcres Gustave et moi avons découvert mon père, inanimé. De Célestin, coincé sous des branches poussiéreuses, nous n'apercevions que le haut du crâne qui saignait, et le bas des jambes. Les autres nous avaient rejoints. Avec leur aide, nous sommes parvenus à extraire mon père de sous les débris du peuplier. Il geignait doucement, et toussait beaucoup et fort. Il reposait à présent sur un lit de mousse. La brise nous portait l'odeur de résine des sapins fracassés par la chute du grand arbre. Célestin murmurait une suite de sons, toujours les mêmes. Agenouillés au-dessus de lui, je parvins à distinguer, parmi la litanie des phrases à peine articulées :

— Il allait mourir... Le pivoul, j'ai voulu l'achever... Pas qu'il se sèche sur pied, comme un petit vieux... Il faut mourir debout... Pareil pour nous.

Lorsque nous sommes enfin parvenus à le des-

cendre au creux du vallon, sur un brancard de fortune, nous avons déposé sa lourde carcasse sur la
charrette qu'il avait fallu débarrasser de son bois.
De leur pas chaloupé, les bœufs roux ont tiré leur
charge jusqu'au hameau. Louradour, dans sa vigne,
s'apprêtait à entamer son refrain, quand il vit le
corps de Célestin inanimé. Il s'avança jusqu'à l'attelage, passa sa main dure sur le front moite où une
plaie brune se perdait dans les cheveux, et dit d'une
voix douce :

— Je savais bien que tu reviendrais. Maintenant,
c'est à nous de nous occuper de toi.

Devant le corps de son fils aîné, ma grand-mère
eut l'air étonnamment calme, comme si elle s'y
attendait. En voyant de sa fenêtre l'affaissement du
« pivoul », elle avait tout de suite pensé qu'il était
arrivé quelque chose à Célestin.

14

Depuis l'accident, seule la face rubiconde de son ami Marcel Bouygues, apparaissant au « fenestrou », suscitait une lueur de gaieté dans les yeux de Célestin. Invariablement, Bouygues hurlait :

— Au rapport, sergent ! La Noémie vous fait dire que les cartes sont prêtes et que le picon est au frais...

En d'autres temps, la perspective de voir son mari passer son après-midi au bistrot aurait valu à Bouygues une belle rebuffade de la part d'Amélie. A présent, elle était, comme moi, soulagée de voir Célestin prendre encore du plaisir à la vie. Après l'épisode de la fermeture administrative, Amélie avait fait admettre à mon père qu'il ne pouvait plus continuer de donner le pain sans tickets. Les sanctions, en cas de récidive, auraient pu lui valoir la déportation.

Aussi, Célestin, qui ne pouvait plus tenir sa place au fournil, passait-il ses journées sur le banc, devant la boulangerie. Il ne quittait ce poste d'observation que pour se rendre au café d'en face, le plus silencieux, car il ne supportait plus le bruit.

Chancelant un peu, il traversait le carrefour, saluait d'un hochement de tête les joueurs de billard, se dirigeait vers le paravent dont le décor représentait la baie d'Along. Dans un renfoncement de la grande salle, il y avait un guéridon, recouvert d'un tapis vert défraîchi. Depuis juin 40, cette table était réservée « aux vieux », c'est-à-dire aux anciens combattants de 14-18. Une fumée bleue planait au-dessus du paravent les après-midi de manille. De jeunes hommes tournaient en silence sous le halo du plafonnier, la longue queue à la main. On parlait bas au café Pebeyre, qui bénéficiait d'une sorte de neutralité. C'est à peine si quelques allusions à la situation du pays, mâchonnées en patois, parvenaient de derrière la baie d'Along aux joueurs de billard, conscients d'appartenir à cette génération de « coureurs à pied », sur qui pesait encore le poids de la débâcle de 1940.

Lorsqu'il ne jouait pas aux cartes, Célestin s'abîmait dans une profonde mélancolie. Comme il réclamait souvent son fils aîné, il nous avait semblé que des nouvelles rassurantes de Rique pouvaient être de nature à ramener un peu de vie et de joie dans ses yeux. Depuis la fin de 1941, Rique, qui avait dix mois de plus que moi, était aux Chantiers de la jeunesse de Casteljaloux, dans les Landes. Il aurait dû être libéré depuis plusieurs mois. Nous étions sans nouvelles de lui, jusqu'à ce qu'un de ses compagnons de camp, récemment libéré, nous en apportât. Elles n'étaient pas bonnes : mon frère avait perdu une trentaine de kilos. De surcroît, le pauvre garçon, qui n'avait jamais su se défendre, était devenu le souffre-douleur d'une partie de l'encadrement et de certains de ses compagnons. Ce fut quelques jours après ces informations alarmantes que les gendarmes m'apportèrent l'ordre de me rendre, à mon tour, au Groupe Six d'Ouliès, dans les Landes, près de Casteljaloux. Nous avons été soulagés en lisant sur l'ordre d'incorporation que j'étais affecté dans le même chantier que Rique.

Le 23 mars 1943, je pris donc le train pour Casteljaloux, en compagnie de deux garçons des environs, comme moi dans leur vingtième année. Le camion militaire, qui nous avait chargés en gare d'Agen, était bondé de jeunes hommes dont l'exubérance un peu forcée masquait mal leur angoisse. Certains prétendaient que les camps étaient encadrés par les Allemands, peut-être même par les SS, et que nous allions devoir marcher à la trique. Le camion fit une halte sur la place de Nérac, où nous attendaient une dizaine de jeunes types, aussi faussement détendus que nous. Je n'en reconnus aucun.

En revanche, j'aperçus Mario, le patron de « La Polenta » sur la terrasse de son restaurant. Je n'ai pas pu me retenir de demander au sergent, qui encadrait le convoi, l'autorisation de traverser la place pour quelques minutes. Le militaire, un petit noiraud, m'a fait remonter d'une bourrade dans le camion. Il hurlait avec un fort accent de l'Aveyron :

— Tu ne te figures pas qu'on te conduit en villégiature ?

Nous avons traversé des étendues de bois de pins calcinés. Le paysage, uniformément plat, avait l'aspect d'une forêt qui venait d'être ravagée par des incendies. Lorsque le camion s'est arrêté devant l'entrée du camp, flanquée de palissades de rondins, mon copain Alphonse Brunet, un gaillard trapu et rigolard, m'a lancé un coup de coude dans les côtes. Il me montrait la devise peinte sur le fronton de bois cloué entre les deux chênes encadrant l'entrée : *MARCHE OU CRÈVE*. Le ton était donné. Le repas du soir nous attendait. Les rations étaient affichées aux murs du grossier préfabriqué : 900 grammes de pain pour une tablée de huit. Trois oignons et une assiette de pommes de terre charançonnées complétaient notre menu. Le pain empestait l'amidon. Il m'avait suffi d'ouvrir mon morceau pour savoir que la fécule de pomme de terre était la composante essentielle de la farine pétrie au camp. Après le repas, je me suis renseigné sur l'endroit où se trouvait mon frère. J'ai fini par apprendre qu'il appartenait à une équipe de dessouchement, qui opérait dans une clairière éloignée. Le type qui m'avait informé a ajouté, hochant la tête :

— Le pauvre vieux, qu'est-ce qu'ils lui en font baver ! Il est temps que sa période s'achève...

Les premiers jours se passèrent, à peu près tranquillement, à arracher des souches calcinées. Le travail était dur, mais, à tout prendre, pas plus que celui du fournil. Ni Alphonse, qui était agriculteur, ni moi n'étions rebutés par le labeur manuel. En revanche, beaucoup de ceux qui nous entouraient étaient des jeunes des villes, étudiants pour la plupart. Ils montraient leurs mains égratignées, enveloppées dans des chiffons, souffraient des reins, supportaient mal la nourriture.

Un matin, à la pointe du jour, nous sommes partis, à cul de mulets, en mission de ravitaillement des divers groupes disséminés dans la forêt. Je m'étais porté volontaire pour cette corvée, pensant qu'elle m'offrirait une chance d'entrer en contact avec mon frère, à propos duquel l'encadrement n'avait rien voulu me dire. Les chemins sablonneux bordés d'immenses pins nous paraissaient interminables. La forêt s'éveillait dans la fraîcheur des odeurs de résine et de fougères mouillées. Mes compagnons chantaient une rengaine stupide qu'un sous-officier nous forçait à reprendre en chœur :

Une fleur au chapeau, à la bouche une chanson
un cœur joyeux et sincère,
et tout ce qu'il faut, à nous filles et garçons
pour aller au bout de la terre !

Je frissonnais dans la fraîcheur de l'aube. La veille au soir, on nous avait dotés d'une chemisette beige clair et d'un bermuda marron, que l'on avait dû prolonger par des bandes molletières. Les godasses, lacées jusque sous les genoux, étaient trop petites. Nous avions tous une cravate et un béret vert foncé. En dehors des périodes de travail à l'abattage, il nous était interdit de quitter cet uniforme, sous peine de sanctions graves. Lorsque la cantine mobile, vieille chaudière visiblement rescapée de la guerre de 14-18, est parvenue dans la clairière la plus éloignée, les garçons étaient déjà accroupis autour de souches noires. Nous commencions à nous habituer à ce paysage de bombardement. Un camarade nous avait expliqué que les incendies étaient provoqués par les étincelles de la voie ferrée, toute proche.

Un sous-officier qui, à sentir son haleine, avait dû se réveiller à l'armagnac, nous a accueillis en bougonnant :

— C'est pas trop tôt ! Putain, qu'est-ce que vous avez foutu !

Puis il a aboyé :

— Dis à l'autre enflure de nous servir le café !

Il avait l'expression bornée du type qui n'existe qu'au travers de ses galons. De sa voix avinée, il hurla :

— Charrazac, espèce de gros tas, tu veux te manier le cul, ou tu préfères que je te le botte tout de suite !

209

J'ai alors vu sortir d'un baraquement de rondins un être que j'eus du mal à reconnaître : amaigri, sa peau devenue grise, mon frère avait un regard de chien battu. J'ai retrouvé ce regard qui était le sien lorsque ma mère l'obligeait à se lever au petit matin en plein hiver. Cette expression soumise et bonasse m'a serré le cœur. Il ne m'a pas reconnu : j'avais dû beaucoup changer en trois ans, sans parler de l'uniforme... Lorsqu'il est revenu, il avait noué un tablier crasseux autour de sa taille. Le béret qui emprisonnait ses cheveux, noirs et très longs, accentuait encore son teint maladif et son expression craintive. Il entreprit de servir l'ersatz de café dans les quarts qu'il avait disposés sur une large souche plane. Accourus à l'appel de la cloche, les dessoucheurs se pressaient, quand un grand type maigre à l'accent parisien s'est mis à hurler :

— Tu ne peux pas faire attention !... Regardez-moi ce balourd qui n'est pas même bon à servir le café !

Le type s'apprêtait à décocher un coup de pied aux fesses de mon frère. Un voile de fureur brouillait ma vue. J'ai bondi hors de l'abri de la roulante, retourné l'échalas vers moi et lui ai décoché un coup de tête en pleine figure. Quand les os du nez ont craqué, j'ai reçu une giclée de sang du type qui était allé bouler à terre. J'avais déjà ouvert le Laguiole qui ne me quittait pas, et je criais, faisant face aux compagnons du grand blond qui geignait au sol :

— A partir d'aujourd'hui, le premier qui s'attaque à mon frère aura affaire à ça !

J'ai écopé de trois mois de cachot, que j'ai passés dans les sous-sols humides d'un château voisin. Cette élégante bâtisse, bordée d'un lac poissonneux, servait de dortoir au « haut encadrement » du camp. Lorsqu'il avait appris que j'étais boulanger, le colonel m'avait confié deux missions : faire les lits et cuire un pain acceptable. La seconde paraissait une gageure à cette époque. Je lui ai donc demandé l'autorisation d'aller me ravitailler dans les fermes.

Je me suis acquitté de cette tâche mieux que tous mes devanciers. Sans grand mérite, à vrai dire, car j'étais un professionnel. En outre, le terroir ne m'était pas inconnu. Nous nous trouvions à moins de vingt kilomètres de Nérac et j'avais suffisamment appris de Marcel et de son alchimie des mélanges, pour savoir où se produisaient les meilleurs blés. Aussi, les subsides qui m'étaient confiés m'ont-ils permis d'acquérir de la farine des bords de Baïse, chez des paysans auprès de qui je me fis connaître, et qui ne tentèrent même pas de me tromper sur la qualité du blé qu'ils me vendaient. J'ai confié l'écrasement à un petit meunier boulanger, ancien ami de Marcel, dont il m'apprit la mort. Il voulut bien, en souvenir de celui qui avait été mon tuteur, moudre mon blé sans y mélanger trop de ces résidus impurs, qui donnaient si vilaine apparence à la farine d'alors. Le pain que je mettais au four, sur la sole unique de la vénérable bombarde du château, fit l'admiration de tous ces messieurs de l'encadrement.

Ces cadres de l'armée, brutalement livrés à l'ennui et menacés de chômage après la débâcle, avaient reçu comme une bénédiction l'initiative du général de La Porte du Theil. Le fondateur des Chantiers de la jeunesse avait offert une seconde carrière à ces soldats humiliés. Une fois au cœur de l'institution, certains en prenaient à leur aise. Ils mettaient à profit la désorganisation de l'administration vichyssoise pour encadrer à leur manière ces cent mille jeunes. Les épouses de certains des officiers supérieurs les avaient rejoints et s'offraient la vie de château.

Un matin, monté plus tôt qu'à l'accoutumée dans

les étages où le bois massif sentait bon la cire, j'eus la surprise de trouver le colonel au lit avec la femme du capitaine, qui se trouvait alors en stage au centre d'Uriage. Comme je m'étais retiré par discrétion, le colonel m'a rejoint dans la chambre voisine. Il avait passé un peignoir, ses cheveux lui faisaient une houppe comique sur le front. Il me lança sans préambule :

— Tu n'as rien vu, n'est-ce pas ?

Comme je me contentais de secouer la tête, en continuant de faire le lit, il parut réfléchir, puis me demanda, en retrouvant un peu de sa hauteur :

— Dis-moi, mon garçon, cela te ferait-il plaisir si je levais ta punition ? Je pourrais même envisager de te donner une permission...

J'ai haussé les épaules et lui ai répondu, continuant de balayer la chambre :

— Cela ferait toujours plaisir de revenir chez soi.

Le colonel avait remis ses bottes.

— Tu reviendras au chantier au bout de la semaine n'est-ce pas ? dit-il. Sinon, tu sais que les gendarmes iront te chercher, et ta période sera prolongée.

J'ai soudain mesuré à quel point j'étais livré au bon vouloir de ces types. Je pensais aux humiliations qu'ils infligeaient à Rique. Malgré mon envie de botter les fesses de la ganache, j'ai répondu sur le ton le plus soumis que j'ai pu :

— Bien sûr, mon colonel.

Je ne me faisais aucune illusion. Le temps pressait. Chaque fois que nous quittions le camp en escouade de ravitaillement, nous pouvions lire des tracts du maquis local, sur les murs des villages alentour. Ces feuilles, presque illisibles, nous annonçaient que les Allemands allaient venir rafler les jeunes des chantiers pour les emmener en Allemagne. Le Service du Travail Obligatoire venait d'être instauré, et nous ne parlions que de cela.

Etant un des rares à pouvoir quitter presque chaque jour l'enceinte du chantier, je n'étais pas parmi les plus mal lotis pour m'évader. Nous étions dans les premiers jours de mars 1943. La campagne était gelée. Les fûts des arbres résonnaient sous les haches, avec cette plainte sèche qui se diffuse dans l'air froid. Accagnardés sous un géant, baignés par les vapeurs résinées montant de ses profondes blessures, mes compagnons de coupe formaient un petit tas, enveloppé dans sa propre buée, comme un escargot dans sa bave. Alphonse, le paysan corrézien, qui supportait mal cette campagne plate et de ne voir autour de lui que des arbres, me dit :

— Regarde ces couillons... Et dire qu'on est comme eux... On est là, au cul des arbres, à attendre que les Allemands viennent nous ramasser... Si on se tirait ?

L'idée de m'évader m'avait bien effleuré à plusieurs reprises, mais, jusqu'alors, j'avais craint les représailles sur Rique sans défense, et même sur mes parents au village. Or, après onze mois de chantier, mon frère avait été libéré la veille. Il avait quitté avec soulagement ce lieu qui ne lui avait valu que souffrances et humiliations. Lorsqu'il m'avait embrassé, avant de monter dans le camion bâché, j'avais senti ses larmes contre ma joue. En le serrant contre moi, j'avais eu l'impression d'étreindre un paquet de vieux vêtements. En repensant à la scène et à tout ce que mon frère avait enduré, ma résolution fut vite prise. Je répondis à Alphonse :

— Banco, frérot, on les met, on se tire... Comment ils appellent ça, déjà ? Déserter non ? Alors, on déserte. Mais on ne s'en tirera qu'en revenant au pays ; là-bas, on trouvera toujours à se cacher.

Nous avons enfilé nos tenues civiles et, avec la charrette du ravitaillement, nous avons pris la direction d'Agen, où l'on trouvait des trains directs pour le Quercy.

A Agen, ils étaient là. Nous en avons aperçu deux, à bicyclette, en uniforme gris, le béret incliné sur la tête, gants et brassards blancs, affichant leurs gueules de durs. Ils ne nous ont pas regardés.

En approchant de la gare, nous avons vu un attroupement qui barrait le boulevard. Ils contrôlaient les identités et fouillaient les voitures. C'était toujours la Milice, mais en tenue militaire, cette fois ; les casques et les bottes luisaient au soleil. Pas de doute, si nous ne trouvions pas sur-le-champ une solution, nous étions faits. Alphonse a alors eu une idée de génie. Apercevant un jeune type visiblement désœuvré, il l'a interpellé, et lui a mis le marché en main :

— Tu prends les guides du mulet, nous on se cache dans le chargement. Tu nous fais pénétrer dans la gare. Après, le chargement sera à toi.

La proposition était alléchante : il y avait, dans la charrette, suffisamment de victuailles pour le nourrir pendant plusieurs mois, lui et sa famille. Dissimulés par les arbres d'un parc voisin, nous nous sommes glissés sous la bâche et enfouis sous les choux, les pommes de terre et les rutabagas. Nous étions entièrement livrés à la loyauté du garçon, et je ressentis un froid dans le dos lorsque, au bout de quelques mètres, une voix forte, au guttural accent picard, a hurlé derrière nous :

— *Vé tichi, garchon, que j'ravise tin chergemin.* (« Viens ici, garçon, que j'inspecte ton chargement. »)

Alphonse m'avait déjà agrippé le bras, me chuchotant de me préparer à courir. C'est alors que nous avons entendu la voix chantante du jeune gars :

— Je voudrais bien, mon colonel, mais c'est le ravitaillement réquisitionné pour la Gestapo de

214

Toulouse, et comme le train est dans trois minutes...

Il y eut un instant de silence ; j'ai supposé que le milicien était allé demander des instructions, puis une autre voix s'est mise à hurler :

— Fais circuler la charrette, abruti ! Tu as envie de voir le temps qu'il fait sur la Moscova ?

Quelques minutes plus tard, empestant le ruta-baga, nous nous trouvions dans le train qui condui-sait à Brive. Le soir même, après avoir cheminé toute la journée à travers champs, nous nous sommes retrouvés aux alentours de nos villages. Cachés dans une grange au bord de la Tourmente, nous avons attendu la tombée du jour. Puis, j'ai quitté Alphonse qui regagnait son hameau proche, pendant que je m'acheminais vers Vayrac, faisant de longs détours pour éviter les fermes « marécha-listes ». C'était le début de la nuit. J'eus de la peine à marcher dans un carrefour désert. Les bistrots montraient une vitrine noire. Dans celui d'Alber-tine, seul, tremblotait une flamme de bougie. Je me suis bien gardé d'y pénétrer, de crainte d'être vu par des mouchards. Ma joie d'être de retour chez moi fut d'abord gâchée par le silence de ma maison. Les vitres du fournil étaient sombres, aucun bourdonne-ment n'en provenait. C'était comme si le four de mon père, lui aussi, avait été frappé par le couvre-feu. Le silence de cette nuit en était encore plus pesant.

15

De même qu'ils avaient été soulagés de retrouver Rique, mes parents avaient été heureux de mon retour, malgré la clandestinité dans laquelle j'allais devoir plonger. Pour pouvoir manger, mon frère aîné travaillait dans une ferme sur la lande de Martel. La boulangerie tournait au ralenti et mon père n'avait pu garder qu'Adrien et Albert, un apprenti. Ceux-ci, n'ayant à cuire que deux fournées par nuit, louaient leurs services dans les fermes, à la journée.

Un long mois, j'ai vécu comme un étranger dans ma propre maison, caché dans le grenier de la boulangerie. Seuls des rais de lumière m'indiquaient si c'était le jour ou la nuit. La vie nocturne du fournil me servait aussi de repère : lorsque j'entendais le BOOO... du four, un peu assourdi, je savais qu'il était aux environs de une heure et que l'on chauffait la première. Je passais mon temps à lire, en écoutant les vieux disques de Célestin. Il y avait des opérettes de Reynaldo Hahn, celles d'Offenbach, certains succès de Mistinguett, ou des extraits d'opéra chantés par Georges Thill et Ninon Vallin. J'avais dû calfeutrer le grenier pour ne pas être entendu, car le son du gramophone ne pouvait pas être modulé. Or, la plus grande prudence était de rigueur. On ne redoutait pas trop les gendarmes : le brigadier Roucaute était devenu un partenaire occasionnel de Célestin à la manille. Mais, nous savions que les miliciens de Brive faisaient de fréquentes incursions jusqu'à Vayrac, et personne n'était à l'abri d'une dénonciation.

Un après-midi, le hennissement d'un cheval me tira de mon assoupissement, puis la voix de Roucaute me parvint, très étouffée par le calfeutrage. Il s'adressait à mon père, qui profitait du bref soleil automnal sur le banc :

— Bonjour, Célestin, j'ai là un papier qui concerne Cyprien. Je dois le lui rendre en main propre...

Mon père força son organe pour m'alerter :

— Bonjour, brigadier. Tu me rendrais un grand service en me disant où il est... J'ai reçu un papier de la préfecture m'informant qu'il s'était enfui de son Chantier de la jeunesse. Crois-tu, tout de même, élever des enfants et être ainsi récompensé ! Pas la moindre nouvelle, à sa mère et à moi, avec le mauvais sang qu'on se fait.

— Naturellement, s'il reparaissait, nous ne manquerions pas de vous le faire savoir séance tenante, ajouta ma mère, avec une nuance de moquerie.

Comme chaque fois qu'elle s'adressait à l'autorité, je fus fier de son aplomb.

— Bien sûr, bien sûr, avait fait Roucaute, d'un ton désabusé.

Cette fois, ce n'était plus le brave Roucaute et ses visites de routine, mais un détachement de la Milice. J'entendais hurler à l'étage, secouer la porte de la chambre borgne qui n'avait pas tardé à craquer sous les coups d'épaule. J'ai tout de suite compris. Celui qui devait être le chef a hurlé :

— Ne vous excitez pas sur les farines ! Pour les délits économiques, on reviendra s'il le faut. Ça n'est pas pour ça qu'on est venu de Clermont... On cherche un réfractaire, un terroriste ! C'est au grenier que ça se passe.

Les marches craquaient sous les croquenots des miliciens. J'ai escaladé la poutre principale, jusqu'au lien de faîtage, dérangé le grand duc qui m'a soufflé sa colère au visage. J'ai ouvert d'un coup d'épaule le vasistas, et me suis hissé sur le toit de la boulangerie. Ce n'était certes pas le moment de m'attendrir devant l'étagement des toits de Vayrac, sous la lune ; je me suis laissé glisser le long de la cheminée du four, qui m'a chauffé le ventre, et me suis retrouvé le cul dans la rosée froide du parc de Bournazel.

Les aboiements des miliciens ont réveillé les chiens du château. J'eus le temps d'apercevoir les lueurs affolées des lampes des veilleurs du « Louvre », qui devaient croire que les frisés venaient faire main basse sur les trésors nationaux. Les « gestapettes » venaient de découvrir mon antre sous le toit.

— Il n'est pas loin, fouillez les environs ! hurla le chef.

J'ai couru le long des berges de la Sourdoire. Je connaissais chaque roncier, l'emplacement des barbelés ; après le grand noyer penché, il fallait traverser la scierie. J'avais de l'eau noire jusqu'aux genoux. De là, ombre furtive, j'ai traversé le pré de l'âne, qui n'eut pas le temps de se lancer dans un concert. Ma silhouette grise était déjà accroupie sous le pont, où la carcasse d'un chevreuil, dévoré par les chiens, achevait de pourrir dans l'eau glauque.

Je longeais à présent les grandes roues du moulin de Sansoul. Mon cœur cognait dans ma poitrine. Je me suis retourné, juste le temps d'apercevoir, égarées dans le parc du château, les lampes des brutes qui faisaient un grand tapage. Je commençais à me croire sauvé, lorsque j'ai entendu une voix, venue du moulin :

— Il est là ! Il est là !

C'était la voix de l'employé de Sansoul, celui qu'on appelait « Gaston des bois » et qui n'avait jamais caché son désir de s'engager dans la légion de Darnand.

— Gaston, tu vas la fermer, ta grande gueule ! Tu as juste entendu un chevreuil ! dit Sansoul, sur un ton inhabituellement autoritaire.

Le brave homme avait ensuite pesté, en patois :

— Si tu buvais moins, tu ne t'occuperais pas de ce qui ne te regarde pas.

J'eus un élan de gratitude pour le meunier manchot, même s'il ne savait pas que c'était moi qu'il protégeait à cet instant. J'ai repris mon chemin le long des berges, et je suis arrivé rapidement à La Chapelle-aux-Saints. Par moments, à cause des ronciers, j'avais dû nager en remontant l'eau noire.

Bientôt, il n'y eut plus autour de moi que le reflet de la lune dans le ruisseau qui s'assombrissait. Les arbres s'étaient faits plus épais, le peuplier et le saule avaient fait place à la haute stature des marronniers. Quelques silhouettes massives, déplaçant des paquets d'ombre, penchées au-dessus des talus, m'avaient tout d'abord effrayé, mais j'ai vite reconnu les têtes fourchues des grandes vaches rousses, de race Salers, marquant l'entrée dans le pays de mon père.

Sur le haut du plateau, les grands arbres vibraient, secoués dans la fraîcheur de l'aube. C'était l'heure magique où la pâleur de la lune se dissout. Le chaos des collines se ravivait de tons mauves, jusqu'à la lointaine Auvergne nimbée de grésil. Ma grand-mère était déjà levée ; elle m'accueillit près du puits. Me voyant trempé et haletant, elle ne chercha pas à comprendre ce qui se passait. Sans un mot, elle m'a fait entrer dans la maison, puis elle a observé un long moment, derrière le volet entrouvert du chambrou, la fenêtre du vieux Cambon, insomniaque et maréchaliste. Rassurée, elle m'a dit :

— Tu vas te débarbouiller et te réchauffer. Après, je te mettrai dans la chambre du cochon ; ils n'y viendront pas te chercher.

Je me suis endormi, comme une masse, sur une litière de paille fraîche, en compagnie du porc qui s'était contenté d'élever une protestation de principe contre mon intrusion.

Pendant plus de trois mois, j'ai vécu à La Martinie dans une relative quiétude, ne sortant que la nuit. Puis, le cafard commença à faire son œuvre, et un jour je n'y tins plus. Il fallait que je revoie celle que je n'avais jamais oubliée pendant ces mois d'absence et de réclusion. Julie pensait-elle toujours à moi, ou bien m'avait-elle oublié ? Je craignais qu'elle ne m'eût fait qu'une promesse sans conséquence, comme pouvait en faire une fille à peine sortie de l'enfance. Par une douce soirée de l'été 1943, sans rien dire à Anna, j'ai donc emprunté un vélo, pour me rendre au hameau où je savais que Julie passait ses fins de semaine, chez sa cousine Philomène.

Elle ne m'avait pas oublié. Je n'essaierai même pas de décrire le bonheur que j'ai ressenti à la serrer dans mes bras. C'en était fini du sentiment de solitude et de malheur qui ne m'avait pas lâché depuis que j'étais traqué et proscrit. Sachant qu'après cette soirée nous serions peut-être long-temps sans nous revoir, Julie voulut sceller notre amour par un acte symbolique. Elle puisa pour cela dans l'imaginaire un peu naïf des croyances populaires : pour qu'un engagement tel que le nôtre résiste aux épreuves, les amoureux devaient s'avancer jusqu'au rebord pierreux de Mirandole, chacun tenant une branche d'un des trois noisetiers penchés au-dessus des tourbillons de la rivière. Je ne partageais pas ces croyances, mais j'avais besoin de me sentir moins seul, de savoir qu'il y avait une femme qui pensait à moi. Ce serment me permettrait de continuer à vivre à La Martinie entre Anna et ses chèvres. Je n'hésitai donc pas à donner à Julie la preuve d'amour qu'elle me demandait. En grimpant à ses côtés les pentes de Mirandole, je sentais l'odeur de vanille de sa chevelure blonde et je me souvenais de ses yeux écarquillés au moment de notre coup de foudre. A présent, elle bondissait parmi les graminées sauvages. Ses jambes fines s'agitaient sous une jupe de toile blanche que sa mère lui avait taillée dans de vieux draps. Julie s'était un peu râpé la cuisse en sautant par la fenêtre, pour me rejoindre. Relevant sa jupe, elle me montra l'estafilade. C'était cela qui m'intimidait et me séduisait le plus chez elle : cette ingénuité de gamine et cette détermination de femme.

Fouettés par l'herbe qui nous montait à la taille, nous avons dévalé une pente douce ; ensuite, il nous a fallu escalader une ceinture d'épais rochers, lisses et chauds. Déjà, nous parvenait le grondement de l'eau, mêlé aux fortes odeurs de menthe que l'on respire sur les rives. Enfin, la barrière des falaises blanches nous est apparue, d'une blancheur encore exagérée par le soleil couchant. Nous nous sommes assis dans une poche d'herbe tendre, entre deux tables calcaires. De légères poussières de paille, portées par la brise fluviale, nous parvenaient, en même temps que les bruits de la moisson nocturne, de l'autre côté du fleuve.

Posant sa tête sur mes jambes, Julie me dit :

— Tu ne peux pas savoir comme il me tardait de te revoir ! Je finissais par parler de toi à mes chèvres. Philomène me disait qu'au Chantier de la jeunesse, il y avait des filles de ton âge et que tu m'avais oubliée.

J'avais envie de rire en repensant aux trois mois passés à gratter des arbres, sans voir un jupon. Je parvins à interrompre son flot de paroles :

— A propos du noisetier : as-tu choisi celui qui te convient ?

Elle se leva d'un bond, me tendit ses deux mains. D'une vive secousse elle me fit me lever, passa son bras derrière mon épaule et m'entraîna en direction du grondement. Des tourbillons d'eau noire se distinguaient sous la pleine lune. Le coude ombreux de la rivière glissait sous les brumes, effrangées par les enrochements du pont.

— Celui-ci...

Elle me désignait une grande masse feuillue, où la brise de nuit faisait ses gammes. J'eus un sursaut.

— Tu n'y penses pas, Julie ? Tu as vu où il est, cet arbre ?

Les racines du noisetier se perdaient dans la corniche où il avait trouvé ce qu'il lui fallait de terre pour s'élancer, comme un suicidé au-dessus du vide.

— Si tu as peur, j'y vais moi...

Elle était déjà dans le noisetier. Je lui criai :

— Attends, Julie ! On va faire venir une branche en la coupant du bord. J'ai mon couteau !

La voix dans les feuillages me parvint dans un souffle :

— Ça n'irait pas. Il faut cueillir au-dessus du vide...

J'entrai, à mon tour, dans le bouquet des branches fortes de l'arbre. Celle que j'avais agrippée de ma main gauche cassa. Le coudrier était si vieux que de nombreuses branches étaient mortes.

Un craquement me parvint, étouffé par le grondement de l'eau.

— Julie, reviens ! On n'a pas besoin de ta
branche pour être heureux...

Mon cri s'acheva en murmure car une petite
main avait saisi celle que je lui tendais. Alors, j'ai
tiré mon amour à moi. Nous avons basculé sur la
pierre chaude de la corniche. Elle avait ses deux
branches et m'en tendait une, me disant, une
expression de fierté dans ses yeux pâles :

— Tu vois, ce n'était pas si difficile. On mettra
une branche dans la charpente de notre maison et
une autre dans notre chambre.

Puis, sur un ton plus grave :

— Ça ne sera pas du luxe... Tu sais, il y a plusieurs femmes qui n'ont jamais pu avoir d'enfants
dans ma famille.

Cette escapade nocturne et les serments échan-
gés m'avaient fait du bien. J'effectuais de menus
travaux pour Anna et passais mes journées caché.
Trois mois s'écoulèrent sans autre incident. Une
nuit, je me laissai entraîner par un jeune cousin, à
la fête à La Grafouillère. Je m'étais cru suffisamment loin de chez moi pour ne pas être inquiété
dans ces collines corréziennes. J'ignorais que, pour
les gendarmes, tout jeune de vingt ans inconnu au
village était un « terroriste » présumé. Lorsque
l'escouade avait voulu me contrôler, j'avais eu assez
de vivacité pour sauter dans un fossé, et eux, suffisamment d'humanité pour tirer à côté.

Puis, l'hiver arriva, et le jour où, probablement
repéré par le voisin maréchaliste, je fus dénoncé. Il
était impossible, pour les gendarmes de Beaulieu,
de monter la pente interminable de La Martinie, du
côté de la Corrèze, sans que l'écho répercute et
démultiplie le trot des chevaux ; c'est ce qui me

sauva. J'ai eu le temps d'embrasser Anna, qui avait fourré quelques victuailles dans une musette, ainsi qu'un objet enveloppé dans des linges. Les seuls mots qu'elle prononça furent :

— Va, petit, j'ai mis le revolver de ton grand-père dans la musette. On ne sait jamais.

J'ai respiré l'odeur de chou et de tison de ma grand-mère. Je pressentais ce qui allait se produire : elle décéderait quelques mois avant la Libération, sans que je n'aie pu la revoir.

Je connaissais tous les sentiers qui pouvaient être fréquentés, et taillais ma route dans les fossés obscurs. Les arbres, dépouillés de leurs feuilles, ne faisaient pas obstacle à la visibilité que m'offrait la pleine lune. Je pouvais donc facilement garder le cap sur le Puy d'Issolud, au loin, plus bas, dont les larges épaules étaient si reconnaissables. Je courus, fouetté par les branches mouillées que la lune faisait luire. Autant que je l'ai pu, je suis demeuré sur les hauteurs, ne les quittant que lorsque les aboiements des chiens risquaient de donner l'alerte. Parvenu sous le château de Curemonte, je fis une halte afin d'observer La Martinie : les gendarmes devaient fouiller le village, car je voyais des lampes s'agiter. Les chiens clabaudaient bruyamment. Leurs aboiements, amplifiés par l'écho, avaient réveillé ceux du Teillet, puis ceux du Puy Turlot. Soudain, j'ai sursauté : le molosse du château m'écrasait de sa masse sombre. Il fut rejoint par toute une meute. Sans savoir si ce concert me chassait ou me souhaitait bonne chance, j'ai pris mes jambes à mon cou. Chaque fois que je devais descendre dans les sombres ravines, noyées de boue, je perdais mon cap et, dans cette nature dégoulinante — fossés gorgés d'eau où, plus d'une fois, je me suis enfoncé jusqu'aux genoux — le désespoir avait commencé de s'emparer de moi. N'étais-je pas en train de tourner en rond ? Du fond d'un ravin, toutes les buttes se ressemblaient ; on n'en devinait que la base hostile. Pour toute végétation, il y avait des aubépines coupantes, courbées par le froid.

Soudain, la nuit s'est faite plus légère au-dessus de la plaine. J'avais dû faire de longs détours pour éviter bourgades, hameaux et grosses fermes. Je marchais ainsi depuis des heures. La pente que je gravissais m'est apparue familière. J'ai alors compris que le jour m'avait devancé. Ce fut dans la sente de l'Oulié qu'une lueur bleuâtre se mit à palpiter au travers des arbres. Un timide soleil d'hiver pointait sur le village, très loin et très près à la fois. Je suis demeuré longuement sous la grande vasque. Je n'y étais pas revenu depuis mon enfance, et tout d'abord, je n'en avais pas reconnu les proportions. Certes, le creux au-dessus de ma tête était toujours impressionnant, mais, entre-temps, j'avais découvert l'océan. Sous ce rocher, tout à coup, je me suis senti écrasé par ma solitude. Depuis quatre mois, j'avais vécu en reclus, seul ou en compagnie de ma grand-mère, qui était devenue une très vieille femme taciturne. Je voyais mon village, étincelant dans l'aube hivernale. Une envie folle me prit de courir vers la maison blanche, vers mon père et ma mère. Je n'en fis rien, mais une impulsion irrépressible s'est alors emparée de moi. Il fallait que j'entende une voix, sous cette vasque qui aurait pu être mon tombeau ; je le sentais en caressant la crosse du revolver dans ma poche. Un hurlement m'est monté aux lèvres. Sorti de mon gosier sans que je l'aie prémédité, le cri était devenu un nom, dont je n'eus pleine conscience que lorsqu'il me revint : « Juuuuliiiiiie ». Les deux voyelles, prononcées comme l'invocation à la Vierge d'un marin perdu en mer, vibrèrent dans l'air froid, et me furent renvoyées par l'écho, avant que ne se dissipe la buée sortie de ma bouche. J'ai prêté l'oreille, mais seuls les grands corbeaux m'ont répondu. Leurs cris réprobateurs firent retomber le tumulte de mon cœur. Je décidai d'aller retrouver celle qui était devenue, à mon insu, ma boussole secrète.

Ce n'est qu'une bonne heure plus tard, après avoir arpenté des terres gorgées d'eau, que je suis parvenu devant la boulangerie de Pierre Langeol. Celui-ci finissait de charger sa charrette de ce pauvre pain de guerre, noir et plat. Pierre m'a pris dans ses bras, comme un fils, et entraîné rapidement dans le fournil encore fumant, qui me parut une bénédiction tant j'avais froid. Puis, il est allé chercher Adèle, qui garnissait son magasin. J'ai vu les petits yeux noirs s'embuer de pitié. Elle m'a dit, en m'embrassant :

— J'en connais une qui va être contente.

Quelques instants plus tard, Julie était dans mes bras, chaude encore de sommeil, et murmurant sans cesse : « Je le savais, je le savais... Tu arrives juste le soir de Noël. »

Lorsque la conscience du monde extérieur nous revint, Adèle nous tirait vers l'étable, car au village aussi la Milice sévissait. Cela aurait pu être un pauvre Noël, un 24 décembre d'occupation. Le pays manquait de tout. C'est pourtant ce soir-là que j'ai fait mon premier vrai repas de Noël depuis le début de la guerre. Pierre et Adèle Langeol étaient un couple de boulangers comme mes parents. Mais ce dur labeur nocturne n'avait pas oblitéré chez eux le sens de la fête, de ce qui est dû aux enfants et de la volonté de vivre tout de même « un peu comme les autres ».

Le repas eut lieu dans le fournil pour profiter de la chaleur. Les quatre enfants Langeol chantèrent des cantiques. J'étais heureux, je bénissais la vasque qui, m'ayant soufflé le seul nom qui pût m'orienter

227

dans ma détresse, m'avait donné en même temps mon amour et une vraie famille.

Quelques jours plus tard, malgré l'invitation qui m'était faite de rester, je repris mon chemin. Je ne voulais pas occasionner d'ennuis à Julie et à sa famille. Au préalable, j'avais rencontré le chef du réseau de résistance.

— On va te trouver une planque provisoire, m'avait-il dit. Il y a dans les environs des braves gens qui cachent des réfractaires comme toi. Tu pourras te faire oublier pendant quelques semaines, le temps que le réseau parvienne à se procurer des faux papiers et une carte de ravitaillement.

Je ne lui demandai pas comment il s'y prendrait : durant les quelques mois, que j'avais vécus au chantier et dans ma retraite forcée, il s'était passé beaucoup de choses dans nos villages. Des réseaux de complicité s'étaient créés, des codes et des modes nouveaux de communication s'étaient établis. Pour ma part, j'avais complètement rompu avec la « légalité » pétainiste, qui m'eût conduit à travailler en Allemagne pour les nazis, mais je devais attendre encore un peu avant de m'intégrer dans cette nouvelle légitimité combattante à laquelle j'aspirais maintenant. Je voulais le maquis comme, un jour d'hiver, ma barque ayant chaviré, il m'était arrivé d'étreindre une branche au-dessus d'un tourbillon.

Le 1er janvier 1944, je suis donc reparti dans la bétaillère d'un expéditeur des environs, qui allait de ferme en ferme acheter les rares moutons dont les fermiers voulaient bien se défaire. La bise soufflait des embardées glacées par les losanges à claire-voie de la Rosalie. Je me pelotonnais contre les cinq moutons dont la fourrure et l'odeur de suint épaisse me dispensaient une chaleur bienfaisante. Le véhicule haletait en grimpant une côte quand je le sentis déraper pour s'immobiliser au milieu d'un virage. Je compris qu'il s'agissait d'un contrôle. Mon cœur se mit à battre la chamade : Milice ou gendarmerie ? J'ai soupiré d'aise en entendant : « Gendarmerie française. »

Je me retenais de respirer, le temps que l'un des gendarmes contrôle le permis de circuler ainsi que la carte d'essence, cependant que l'autre faisait le tour de la voiture. En entendant le bêlement des moutons, le chef d'escouade lâcha en plaisantant :

— Je vois que vous transportez de dangereux terroristes...

Les gendarmes sont partis d'un éclat de rire, puis le vieux moteur a crachoté, et nous avons repris la route vers les landes de Martel. Lorsque nous sommes parvenus à l'entrée de la grange tapie dans les bruyères, j'ai aperçu trois gars sensiblement de mon âge, buvant, à même la cantine, le lait que la fermière venait de traire pour eux. Venue du fond de la grange, une voix connue m'a apostrophé :

— Mais c'est mon pote, Cyprien, le roi du couteau !

J'ai reçu dans mes bras la petite boule de muscles d'Alphonse, que je n'avais pas revu depuis notre évasion du camp d'Ouliès. Dénoncé trois mois après notre fuite, il avait été reconduit par les gendarmes jusqu'à l'usine de munitions de Toulouse. De nombreux jeunes réfractaires qui devaient, comme lui, être conduits vers des camps disciplinaires étaient regroupés dans la cour.

— Si tu avais entendu le feu d'artifice quand les avions anglais sont passés en rase-mottes ! On s'est dit que c'était pour nos fioles. Et puis, tout d'un coup, badaboum ! un nuage qui monte des usines Latécoère, à cent mètres de là. Ça courait dans tous les sens ; les miliciens étaient complètement noirs. Ils avaient pillé la cave d'un château. Ça puait le champagne et le cognac dans la poudrerie. Je me suis dit : « Alphonse, mon vieux, c'est maintenant ou jamais. » J'ai foncé vers l'entrée de l'usine et j'ai escaladé le portail.

Les autres garçons avaient des histoires similaires : nous étions des réfugiés dans notre propre pays, pourchassés, pour avoir refusé d'aller travailler dans les geôles hitlériennes.

16

Aux premiers jours de 1944, j'ai rejoint le maquis niché dans les replis de terrain qui fuyaient en pente douce jusqu'à la faille de Rocamadour. Au nord, l'aire maquisarde allait jusqu'au village de Loubressac, une avancée rocheuse coiffée d'un grand château austère qui rappelait vaguement, par le dépouillement de ses lignes, l'Escorial de Philippe II. J'appartenais maintenant à l'organisation « Vény », dissimulée sur le Causse, en bordure des tournées de Célestin. Dans la montée des lacets abrupts, où le chemin se frayait un passage entre les pruniers gelés, j'ai immédiatement retrouvé mes sensations d'enfance. Pendant que la Rosalie, transportant cinq recrues du maquis, haletait dans la montée, je cherchais des yeux le fleuve, encore dérobé par un repli de terrain. Soudain, au tournant en surplomb sur la vallée, il apparut. Son grondement me l'a fait deviner : c'était la Dordogne marchande, celle qui rue, qui souffle, arrache des pans de berges, comme un rapace, d'un battement d'ailes, vole au troupeau une bête qu'il emporte. Creusée dans la falaise de Mèzels, j'ai vu la faille où était la maison qui avait été emportée lors d'un hiver semblable à celui-ci.

Lorsque la voiture est arrivée sur le plateau, j'ai reconnu la grange où, jadis, j'enfonçais le pain de « l'échange » dans la boîte en bois qui gisait, pourrie et prise par les ronces. La grange s'était affaissée sous le poids du temps et aussi, peut-être, celui des hommes nombreux qui l'habitaient.

On entendait à l'étage comme des bruits de lutte.

— Ils se réchauffent comme ils peuvent, nous dit le compagnon qui nous guidait dans le lacis de ronciers.

Le chemin qui menait au vieux four de la ferme n'avait pas encore été débroussaillé. J'ai appris par Alphonse Brunet que, jusqu'alors, les réfractaires s'étaient contentés, en guise de pain, de manger des galettes de maïs cuites dans le four de la vieille cuisinière de la ferme.

— Or, avoir du pain de froment à manger tous les jours est une chose importante pour les maquisards, me dit, en me souhaitant la bienvenue, celui qui paraissait être le chef.

Tous l'appelaient Vincent. Il m'a conduit sans perdre de temps devant le vieux four. J'ai été surpris. Lorsque j'accompagnais mon père dans ses tournées du Causse, je n'avais pas remarqué le four sur le côté de la maison. Les ronces avaient envahi la coupole moussue et la bombarde du four était à demi écroulée. De sa voûte, pendaient les racines du grand noisetier qui avait poussé sur le bâti extérieur, lui aussi effondré par endroits. J'ai vite rendu mon verdict :

— C'est un maçon qu'il faut faire venir en premier. Je lui montrerai comment bâtir le four pour qu'il ne perde pas la chaleur, mais il nous faudra des briques réfractaires pour réparer la sole.

Vincent m'a tapé sur l'épaule avec un sourire lumineux :

232

— Qu'à cela ne tienne ! Le boulanger d'Estaillac refuse d'appliquer le taux de blutage qu'on lui a indiqué, et il s'enrichit sur le dos de la population en réservant son pain blanc pour les riches. Il est en train de faire refaire sa sole. On lui réquisitionnera ses briques, ça lui tiendra lieu d'avertissement.

J'avais tout juste eu le temps de repérer les creux de terrain des environs, où il serait possible de faire venir de l'orge, du seigle et même du blé, que Vincent revint vers moi.

— Cyprien, ordonna-t-il, laisse tomber le blé ; tu auras tout le temps. Nous avons un parachutage ce soir.

Nous nous étions couchés au sol, lorsque, semblant monter des entrailles des falaises, nous entendîmes gronder l'eau. Tout tremblait. Sous des nuages noirs, un grand squale apparut, qui pondit ses méduses violettes sous les balais de ses projecteurs. Vingt torches brûlaient à présent aux quatre coins du champ de pierres. Le Halifax plongea dans l'obscurité. Je vis les genévriers sous la lune. Il y avait là, tapis au creux des buissons, une centaine d'hommes. A la lueur de sa torche, je reconnus le directeur de l'école de Vayrac, M. Douste, qui nous avait si bien mis en garde contre les périls de l'époque. Je réussis à échanger quelques mots avec lui : n'ayant pas de raison de prendre le maquis car il n'était pas recherché, il faisait partie de la résistance « statique ». Il m'a donné des nouvelles de mes parents. Mon père n'allait pas bien.

— Il ne traverse même plus le carrefour pour sa partie de manille chez Pebeyre.

La nouvelle m'attrista, mais je n'eus pas le temps de m'y attarder, car des exclamations joyeuses nous parvenaient. Elles montaient du plateau rocailleux,

plongé dans la nuit noire. Une bande de maquisards en canadienne, parlant très fort et entourant
deux grands types blonds qui riaient nerveusement,
se dirigeait vers le grand autobus sanitaire, récemment réquisitionné. Tous les gars voulaient les voir.
Quand ce fut mon tour, je compris mieux pourquoi
on riait tant : les deux Anglais étaient habillés en
pardessus foncé, souillés de glaise. Ils portaient de
petites valises de cuir et semblaient débarquer tout
droit d'un trottoir de la City. Ces deux-là, que nous
attendions depuis des mois, seraient de fameux
compagnons. Cela se voyait tout de suite à leur
façon de sourire, surtout celui que l'on appellerait
« Max » et qui nous séduisit immédiatement avec
son regard franc, ses lèvres ornées d'une moustache
blonde, où flottait un sourire énigmatique. Son
expression, un peu moqueuse, était adoucie par la
franchise de sa bouche, fendue sur les dents du
haut très écartées. Il émanait de Max un charme
presque féminin, dû peut-être à de beaux yeux
clairs en amande, sous l'arc très pur de ses sourcils.
Mais c'était un gaillard aux allures de rugbyman. Il
répétait les quelques mots de français qu'il connaissait :

— Faites *exciouses* ; le père Noël a raté l'avion
cette année. On est retardés, mais... bon, ça va aller
quand même.

Nous avons regagné le camp au pas des bœufs
tirant, dissimulés sous le foin du char à banc, les
engins de mort que nous allions cacher dans des
fermes abandonnées, nombreuses sur le Causse.
J'étais heureux en regagnant l'ancien fenil, amé-
nagé en chambrée, où je retrouvai plusieurs jeunes
du village, tous recherchés comme moi. C'était le
premier parachutage réussi du maquis, et il avait
lieu le jour de mon arrivée.

Dans les semaines qui suivirent, j'ai eu également la satisfaction de renouer avec mon métier. Pourtant, les conditions en étaient profondément modifiées. Le four, rapidement relevé et rebâti, était prêt à fonctionner. La difficulté était plutôt de se procurer de la farine.

Ce fut, précisément, l'objectif de la première mission de ravitaillement. Un wagon de vivres avait été signalé par la préfecture de Cahors, où nous avions un mystérieux informateur. Nous avons fait une descente tous feux éteints vers la gare de Saint-Denis, centre de triage important à l'époque. C'était par une nuit de pleine lune, au mois de mars ; l'hiver ne voulait pas lâcher prise. Les trois tractions avant glissaient dans la descente avec un bruit de traîneau. La route était tapissée de grésil, et nous roulions tous feux éteints. Les chênes blancs tapissaient les collines à perte de vue. Les causses courbaient la tête sous le froid persistant, comme pour dissimuler le bourgeonnement terrible du printemps, qui ne tarderait plus. Cette soumission de la vallée m'évoqua curieusement ce vers de Victor Hugo qui plaisait tant à Célestin : « Vêtu de probité candide et de lin blanc. » Lorsque nous sommes parvenus aux abords de la gare, les voitures se sont rangées dans un chemin longeant le pont de la Tourmente. Le ruisseau était silencieux, bâillonné par la glace. Comme je m'accrochais à une souche pour me hisser sur la rive jouxtant le grand terrain envahi de wagons, un craquement résonna dans le silence de la nuit, un bruit de glace qui cède. Devant moi, la voix pressante et étouffée de Vincent a demandé :

— Quel est l'abruti qui... ?

— C'est moi, chef... La glace a cassé, mais tout va bien.

Tout le monde avait reconnu l'organe fluet de

Pompougnac, un colosse de la campagne. Une voix gouailleuse a laissé échapper :

— T'as pas vu le panneau à l'entrée du pont ? Y avait marqué : « Accès autorisé jusqu'à un quintal. »

Des fous rires nerveux sont venus du talus, puis tout le monde s'est tu.

— Les frisés ne sont pas là, a dit Martial. On y va.

Les quinze maquisards se sont rués, dans la neige fine, jusqu'aux wagons dont les panneaux grillagés portaient des destinations de villes allemandes.

— Vous avez vu, ces salopards, cette bonne bouffe qu'ils nous carottent ? s'indigna l'un d'entre nous.

Nous avions repéré le wagon de farines et un autre, rempli de caisses de bois qui contenaient des hélices d'avion.

— Elles viennent de l'usine Ratier, à Figeac, dit Vincent. Préparez les explosifs pour quand on décrochera !

Des voix incertaines s'étaient fait entendre, venues du quai unique, éclaboussé d'une petite lumière. C'était la gendarmerie.

Vincent a fait cerner les gendarmes, parmi lesquels j'ai reconnu Roucaute.

— Ne vous inquiétez pas, lui dit Vincent, nous vous signerons un bon de réquisition en bonne et due forme.

Comme le brigadier paraissait hésiter sur la conduite à tenir, Vincent lui a mis sa mitraillette sur le ventre, en disant :

— Soyez raisonnable, brigadier. Vous êtes quatre ; on est quinze, mieux armés que vous. Si vous retournez vous coucher, la population vous en tiendra compte dans quelques mois, quand tout sera fini.

Munis de leur ordre de réquisition, les gendarmes

s'en allèrent. Nous avons pu alors procéder à l'ouverture du wagon de farine. J'ai tranché, avec l'avidité que l'on imagine, la ficelle de la première balle que j'avais pu faire basculer sur le ballast de la voie inoccupée. J'ai commencé d'estimer la valeur du butin, sans avoir besoin de la faible lumière des réverbères, que Vincent avait fait allumer. J'ai senti sous mes doigts la première « blanche » qu'il m'eût été donné de toucher depuis deux ans. A sa fluidité fraîche, je pouvais dire sa couleur et presque sa provenance : elle venait d'un blé du Lauraguais. Vincent, qui se tenait près de moi, m'a pressé :

— Allons, mitron, pas le temps de s'attendrir !

Déjà, les plus costauds étaient à l'œuvre ; il fallait charger les quatre chars à banc qui patientaient au bout de la voie. La totalité des sacs fut ainsi transvasée en moins d'une heure et nous étions de retour au camp avant le lever du jour.

La réussite de ce coup de main magistral fut fêtée comme il se devait. Outre la prise du wagon de blé, nous avions détruit un chargement d'hélices destinées aux avions de guerre du Reich. Quelques semaines plus tard, d'autres compagnons, avec l'aide de nos amis anglais, anéantiraient les presses de l'usine figeacoise.

Nous étions le dimanche de Pâques. Quelles que fussent les convictions de chacun, cette fête religieuse nous offrait l'occasion de rompre avec la vie d'angoisse et de privations qui était notre lot depuis des mois. L'agneau pascal, prélevé dans la bétaillère d'un expéditeur maréchaliste, et que l'on avait mis à rôtir, dégageait un fumet qui nous mettait l'eau à la bouche. Nos amis anglais étaient ravis et émus de cette fête toute simple — Max tout particulièrement, qui appréciait fort le vin français et ne dédaigna pas non plus l'eau-de-vie de prune qui suivit le repas. Les deux Britanniques chantèrent avec nous un *Montagnes Pyrénées* de meilleure facture que le *God save the King* que nous avons exécuté, forts de quelques souvenirs de rugby. Qu'importait, l'intention seule avait suffi à émouvoir nos deux camarades.

Quant à moi, j'avais pris grand plaisir à pétrir de mes mains, dans la vieille maie de la ferme, puis à servir ces petits pains des rameaux, que le curé bénissait naguère de sa chaire, le dimanche d'avant Pâques.

Les missions se succédèrent durant plusieurs mois. Je devins « boulanger mitrailleur », puisque mon adresse au tir m'avait fait désigner pour couvrir mes camarades lors des actions qui présentaient du danger. Dieu merci, je ne me suis jamais trouvé en situation de tuer qui que ce soit. D'autre part, le plaisir de renouer avec mon métier me faisait oublier parfois jusqu'à l'état de guerre que nous vivions. Cela a failli me coûter cher.

Un prisonnier allemand nous avait été confié par un maquis voisin. L'homme s'appelait Hermann. Cet ouvrier de Halle, d'abord effrayé par les « terroristes » que la propagande nazie présentait comme des déchets humains, avait été frappé de stupeur en constatant le traitement qui était le sien au maquis de Soult. Il faisait tout comme tout le monde — à l'exception, bien entendu, des missions. Il mangeait à notre table, prenait part aux travaux d'entretien des véhicules, et sa compétence de métallo s'était révélée précieuse. Seules limitations à sa liberté : on l'enfermait dans la cave pour la nuit, un bahut tiré sur la trappe. En outre, dans la journée, il devait être surveillé par un homme armé. C'est ainsi que j'avais déjà passé plusieurs après-midi en sa compagnie, les autres étant occupés à baliser la grande clairière. J'avais profité de l'occasion pour lui enseigner les rudiments du pétrissage et du façonnage.

Ce jour-là, face à l'immense cheminée éteinte, car nous avions un mois d'avril étonnamment doux, je façonnais mes pâtons sur la grande table de chêne rudimentaire. Je chantonnais une bluette de Tino Rossi. J'étais absorbé par les bruits du plateau, des bruits de paix : les ramiers roucoulaient dans le noisetier du four, les piverts finissaient de carier le vieux noyer devant la maison. Les ruées du vent apportaient parfois jusqu'à moi l'odeur âcre des feux du débroussaillage. Comme beaucoup d'autres, j'étais plus doué pour la paix et la rêverie que pour le maniement des armes, qui me faisaient horreur.

Tout à coup, j'eus un sentiment étrange ; il s'était produit quelque chose que je ne sus définir sur l'instant et qui brisa ma sérénité, comme un ballon d'enfant éclate sur une aubépine. Dans les bruits familiers du Causse, les petits sons secs des sarments de vigne qu'Hermann cassait et entassait près du four avaient cessé de se faire entendre. *Et si le prisonnier s'était enfui ?* Comme j'envisageais déjà les conséquences de ma légèreté, je me rassurai en me disant qu'un homme sans arme n'irait pas très loin sans se faire reprendre. Sans arme ? Je me revis soudain posant ma mitraillette Sten contre le puits pour tirer un seau d'eau. Un regard circulaire aux murs noirs et nus de la pièce me le confirma : l'arme était bien restée à la portée du prisonnier. Par la fenêtre, je ne voyais rien que des branches, doucement agitées par un vent léger. Il me sembla entendre un frôlement contre le mur. Hermann allait entrer brusquement et m'abattre. Il savait sans doute, car nous n'observions pas en sa présence toute la discrétion qu'il aurait fallu, où étaient dissimulés les bazookas. Qu'aurais-je fait à sa place ? Aurais-je tenté ma chance, ou serais-je resté sagement à ma place, en affectant de ne pas voir l'arme ainsi offerte ?

Je me suis déchaussé et j'ai monté l'escalier à demi défoncé, qui grinçait épouvantablement. Une fois au grenier, je savais que l'ouverture par où l'on hissait le foin me permettrait de voir la cour où j'avais laissé le prisonnier. Je m'étais rencogné contre le bois fendu du chambranle. Me penchant précautionneusement, je scrutai les alentours du puits et le hangar. Soudain, il me sembla que les poules s'étaient tues. Cela me parut la confirmation d'une menace imminente. C'est alors que je l'ai aperçu : Hermann avait tiré sa chaise à l'ombre, contre la maison. Un grand couteau en main, il pelait ses pommes de terre. Ayant fini son petit tas de sarments, il s'avançait pour sa corvée du soir. Il a levé la tête et, en me voyant à mon perchoir, sursauta. Il a cru devoir se justifier :

— Chaud, expliqua-t-il, Hermann trop chaud...

Il dut voir dans mes yeux mon soulagement et peut-être une lueur de compassion. Il me dit, me montrant les sarments et le four :

— Bonne école, Cyprien. Grâce à tes leçons, je voudrais monter une boulangerie à Halle, et vendre du pain français.

Nous avons connu un printemps lumineux sur les plateaux et un mois de juin anormalement chaud. Le maquis fut contraint d'occuper successivement différentes fermes abandonnées. Tous les renseignements qui nous parvenaient tendaient à nous convaincre que l'effet de surprise ne jouait plus en notre faveur. Jusque-là, les Allemands nous avaient négligés. Mais ils étaient maintenant parfaitement informés de notre position. Ils avaient fait, sans

240

grand résultat, des incursions pour tenter d'annihiler la résistance de la vallée. Ce sourd combat de la résistance « statique », quotidien et clandestin, leur posait des problèmes insurmontables car, contrairement aux maquisards, elle était en contact permanent avec la population. Début mai, une vingtaine de villages du Lot avaient été incendiés et pillés par la division « Das Reich ». Ces massacres barbares avaient fini de faire basculer les gens de la région du côté de la résistance.

Le vent printanier portait jusqu'à nous de nouveaux échos. Nous étions accoutumés aux veillées tardives au coin de l'âtre. Une certaine tension y régnait. Nous allions cueillir dans la luzerne, pour les enfouir sous la paille, les objets oblongs qui, l'instant d'avant, se balançaient gracieusement sous leurs corolles. D'autres que nous, ailleurs, utiliseraient ces armes, donneraient la mort à l'aide de ces étranges fruits des pentes quercinoises. Un maquis FTP avait pris position depuis plusieurs mois de l'autre côté du champ. Un simple muret de pierres sèches séparait les deux unités. Nos relations étaient fraternelles, et il ne fut jamais venu à l'idée d'aucun d'entre nous de considérer ceux de « l'autre côté » autrement que comme des frères d'armes. C'était souvent un simple hasard qui avait conduit les jeunes gens que nous étions dans telle ferme plutôt que dans l'autre.

Un soir de juin, pourtant, il se produisit un incident. Le débarquement en Normandie avait eu lieu quelques jours auparavant. Nous venions d'enfouir, dans la terre d'une grange au toit effondré, les bazookas parachutés par l'aviation britannique. Nous étions une dizaine de « Vény » à piétiner le sol de terre battue, pour recouvrir les objets de mort.

Des voix se sont élevées, gouailleuses, à la limite de la raillerie.

— Vous allez en faire de la confiture, de vos lance-flammes ?

Trois types nous avaient suivis. Trois silhouettes que nous distinguions mal. J'ai braqué ma lampe dans le visage du plus proche : il n'eut pas le moindre mouvement de recul.

— Tiens petit, m'a dit une voix éraillée, tu peux la regarder ma fiole ; c'est celle d'un tueur de boches.

Je ne connaissais pas cet homme massif, qui devait bien avoir la trentaine. Lorsqu'il a saisi mon poignet pour diriger ma lampe sur son visage, j'ai senti une main rude, habituée à manier le marteau. De celui qui se tenait appuyé contre le mur de la grange, on ne distinguait que le point rouge de sa cigarette. Il dit sur un ton un peu monocorde, celui des chefs des cellules communistes :

— Vous avez vu, les gars ! On dirait des clébards qui viennent d'enfouir leur os pour l'hiver.

Je ne me souviens plus de la réplique de mes trois compagnons de « Vény », mais je fus profondément troublé par ces quolibets, et j'étais revenu au camp pensif. Quand sonnerait enfin l'heure de passer à l'action directe contre les Allemands et la Milice ?

Plus que beaucoup d'amis du « Vény », j'étais ému par *L'Internationale*, résonnant sous la grange voûtée. Me revenaient alors des bouffées de mémoire, avec des odeurs de salpêtre et de pain chaud. L'allégresse d'autrefois embuait mes yeux. Je nous revoyais, Giuseppe et moi, lorsque nous mêlions nos chants dans la cambuse sonore comme une citerne vide, pour un salut à l'aube qui commençait par *Bandiera rossa* et finissait par *L'Internationale*.

Je revoyais aussi la foule joyeuse de Nérac et ma découverte de l'amour physique. Et puis, Julie me manquait : j'avais hâte que finisse la guerre pour que commence la vie. J'allais avoir vingt et un ans et mes élans de jeune homme me portaient à croire tout possible et également urgent : bouter les nazis hors de France, se venger de la Milice et transformer cette société qui venait de laisser tomber son masque. Nous savions parfaitement qu'à Toulouse les avionneurs français avaient mis, sans trop d'états d'âme, leurs usines au service de l'effort de guerre allemand. Une conviction nouvelle cheminait en moi : notre pays ne pouvait pas être libéré par d'autres.

17

Le cinquième été d'occupation avait éclaté comme un coup de théâtre. Assurément, ce serait la dernière fois, dussions-nous y laisser la vie, que le fleuve amaigri flûterait sa limpidité verte, en frisant ses galets, pour envaser toute cette allégresse en terre allemande. Nous savions qu'au lieu de naître à la mer, la Garonne achevait sa vie au bec d'Ambès, parmi les blockhaus et les mines. La pointe de Grave s'enfonçait comme une dent cariée, ultime foyer d'infection du corps de la France libérée.

L'idée de s'engager collectivement pour aller nettoyer cette dernière poche allemande était débattue parmi les maquis du Lot. L'inaction me pesait lorsque je contemplais, du belvédère où nous avions pris position, le velours sombre des chênes. Nous cantonnions dans le petit hameau de Magnagues, qui surplombe le fleuve. L'église carrée avait une cloche dont le son vibrant répondait à la volée à celui des autres hameaux, où les maquis s'étaient assuré des positions stratégiques.

Certains après-midi de canicule, d'une rive à

l'autre, il y avait un joyeux tintamarre où le sacré n'était pas absent. Au-delà, les épaulements limousins offraient à la vue un horizon entier, vierge de toute souillure. Les garnisons allemandes, la Milice et les GMR restaient claquemurés dans les villes, étroitement encasernés, derrière des rideaux de chars. Certes, ils étaient à l'abri des forces maquisardes, mais ne contrôlaient plus rien autour de leur cantonnement.

Le tribut à payer lors de la remontée de la division « Das Reich » serait très lourd. Les amis de l'autre rive pouvaient sonner à la volée le tocsin de joie : ils avaient libéré leur terre. A nous, maintenant, de reconquérir le fleuve.

Dans la nuit du 23 juillet, je fus réveillé par des aboiements. Les chiens des bourgades isolées hurlaient à la mort au moindre bruit. Je me dirigeai à tâtons vers la fenêtre de la soupente où se tenaient deux camarades de chambrée. Des hommes apparurent dans la nuit claire, portant un corps inanimé. Il y avait de l'affolement dans les voix. Ceux qui étaient réveillés s'étaient déjà précipités jusqu'aux deux petites maisons accolées en surplomb de la vallée. Il n'y avait pas un souffle d'air, malgré l'altitude du piton rocheux. L'une des voix m'était familière. Je cherchais dans ma mémoire où j'avais entendu ce timbre voilé, rempli d'assurance et d'humanité, qui donnait des consignes aux porteurs de la civière. Le temps que je descende, la victime avait été déposée sur la table de la cuisine. A la lueur tremblante du callel, je vis la silhouette, ronde comme un fût, déployer un grand mouchoir en le faisant claquer. A sa façon de poser le linge sur le thorax de l'homme, puis de coller son oreille sur sa poitrine, je reconnus le docteur Mazard. Il avait eu le même geste pour écouter le cœur de

Célestin. Comme j'allais sortir de la pièce, estimant qu'il y avait déjà trop de monde autour du mourant, j'entendis des gémissements. Je reconnus les intonations anglaises de Max. L'officier britannique, depuis son parachutage l'hiver précédent, avait été mêlé à la plupart des faits d'armes de la résistance dans le sud-ouest. Je suis revenu près de la table. On avait branché la dynamo d'une voiture et tous les détails de la scène m'apparurent dans leur crudité. Il y avait donc vraiment la guerre. J'étais souvent agacé lorsque je voyais certains maquisards se pavaner avec leur Sten au côté, mais on mourait donc vraiment entre Gramat et Couzou, sur le Causse criblé de libellules. Le docteur se renseignait et, à la façon dont Vincent lui répondait, je compris qu'il avait la totale confiance du maquis.

— Une colonne allemande à Gramat. Ils revenaient du Tarn. Le chauffeur a été tué sur le coup. Max a réussi à leur échapper grâce à son garde du corps, qui l'a aidé à franchir les murets.

L'Anglais avait maintenant sombré dans la paix de l'anesthésie. Un bistouri entre les dents, le docteur marmonnait :

— D'autres blessés ?

Vincent a marqué une hésitation :

— Oui, Malraux. Enfin, le colonel Berger.

— Quel Malraux, le Corrézien ?

— Non, son frère, l'écrivain. Celui de Tulle est en prison : arrêté par la Gestapo à Brive, au mois de mars.

Les grillons n'avaient pas cessé leur raffut. J'ai retrouvé les autres, un peu moins inquiets à présent. Le médecin avait assuré que Max devait s'en tirer. Nous avions échangé des cigarettes, sur le mur bas dominant la vallée. De rares lumières clignotaient dans les montagnes du côté corrézien. Peut-être que, là-bas aussi, des blessés luttaient contre la mort. Peut-être d'autres compagnons de résistance attendaient-ils également l'issue du combat contre la mort mené par un camarade blessé. Peut-être regardaient-ils dans notre direction, « l'hôpital » de Magnagues, éclairé comme un navire de nuit.

La fraîcheur de l'aube tombait sur nos épaules en même temps que les brumes montaient de la rivière, quand je me sentis pris aux épaules.

— Cyprien, il me semblait bien t'avoir reconnu tout à l'heure !

Le gros docteur me secouait comme un prunier. Une fois de plus, je fus abasourdi par la vitalité chaleureuse de cet homme, qui venait de passer la nuit au chevet d'un inconnu, sans en escompter d'autre gratification que celle d'avoir accompli son devoir. J'ai pensé à mon père. Le docteur l'avait compris, sans que je parle.

— Il ne va pas bien, tu sais... Si tu peux te débrouiller pour aller le voir, ça pourrait... disons, le prolonger un peu.

Le lendemain, après une nuit sans sommeil, je suis allé inspecter les blés que le maquis avait semés, l'hiver précédent, en contrebas de la route de Carennac. Un bourdonnement venu de Gramat avait annoncé la colonne allemande plusieurs minutes avant qu'elle ne passât dans un tourbillon de poussière. Ce fut à peine si les estafettes et les tankistes eurent un regard pour moi. Cet homme en maillot, à la peau recuite, la tête coiffée d'un béret, était un paysan dans son champ. De toute façon, ils allaient vers le nord. Du rebord du plateau où je me trouvais, je pouvais distinguer nettement, de l'autre côté de la vallée, « la haute forteresse ». Une idée me traversa : contrairement aux prédictions de M. Douste, la colline sacrée n'avait pas été assiégée. Le pont de Puybrun étant trop étroit, les chars de la division « Das Reich » n'avaient pas pu passer dans notre vallée. Après avoir tourné et vrombi, autour de cet ultime rempart qu'était devenue l'eau verte du fleuve, les tanks avaient taillé à travers la Corrèze : Tulle, puis Oradour. L'histoire ne repasserait plus jamais par Uxellodunum. J'étais les pieds dans la glaise et l'envahisseur s'enfuyait. Il ignorait même le gros œil noir du Puy d'Issolud qui, dix-neuf siècles auparavant, avait retenu Jules César. Je m'en voulus du regret que je venais d'éprouver : nous en savions suffisamment sur la barbarie dont étaient capables ces hommes pour nous réjouir de les voir passer au large de notre vallée. Pourtant, le fait de n'avoir pas encore vraiment combattu me laissait un goût d'inachevé. On ne traverse pas les guerres sans y contracter l'envie de tuer.

Comme en d'autres occasions de ma vie, ce fut mon métier qui me servit de boussole. Les blés avaient bien poussé au creux de ce vallon. Les petites touffes blondes se balançaient fièrement, bien drues au bout de leur tige. Mes devanciers du maquis avaient mis en terre des plants saisis dans les fermes, et que les paysans avaient mis au rebut pour insuffisance de rendement. *Du blé d'avant*, pensai-je. Mais *d'avant quoi ?* Je fus ainsi ramené à la vision de mon père, aux temps bénis d'avant cette crise du blé. La douleur qui ne me quittait pas depuis les petites heures du matin ne pouvait plus être tenue à distance par la tension de ces journées de drame et de splendeur, au cours desquelles mon pays se libérait. Célestin était à l'agonie. La clarté soudaine du Causse d'été, dans le bruit décroissant des chenilles allemandes plongeant sur Carennac, m'a aveuglé. C'était celle de la mort, qui blanchit tout. Les mâchoires horizontales des falaises sur le fleuve, à Montvalent, me parurent de vieux ossements laissés là au fil des siècles. J'ai saisi le premier prétexte : un train bloqué à Vayrac par la résistance, et dont il fallait inventorier le chargement. Je serais parti de toute façon, quitte à enfreindre la discipline du maquis.

Lorsque la vieille Rosalie s'est arrêtée dans la cour de la gare, j'ai mesuré à quel point les choses avaient changé. Une foule, surtout composée de femmes, se pressait autour des wagons à la croix gammée, immobilisés le long du quai. La résistance « statique » du village montait la garde pour éviter les pillages. Je me suis mis à courir le long des platanes. A mon arrivée au carrefour, j'ai compris pourquoi aucun garnement ne trempait sa ligne au débouché des égouts, sous le pont de la Sourdoire. Ils étaient tous là, dans le quadrilatère formé par les trois cafés et le coin de la maison de la veuve Chaubrie. Des jeunes gens de l'âge de mon frère René, certains même beaucoup plus jeunes, béret vissé sur la tête, pistolet en main, paradaient autour de deux tractions avant pavoisées de drapeaux de la République française. Une foule avait envahi le carrefour. Des hurlements frénétiques montaient d'un groupe compact de gens, que j'étais loin de tous connaître. Mon jeune frère était sur le trottoir. Dans ses yeux bleus, je lus du dégoût devant le spectacle de la rue. Après m'avoir embrassé, il me dit sur un ton détaché, comme s'il n'était pas sûr de ce qu'il fallait en penser :

— C'est la femme à Sourzac, qu'ils sont en train de tondre.

J'ai crié, abasourdi :

— Pourquoi elle ? Qu'est-ce qu'elle a fait ?

René m'a répondu, haussant les épaules :

— Son mari est parti avec les Boches ; on n'a pu attraper qu'elle.

J'avais laissé ma mitraillette dans la voiture du maquis. Je me suis soudain senti tout benêt : un montagnard étourdi par la fièvre de la ville. Je ne reconnaissais pas mon village. Je me suis surpris à guetter vers le haut de la côte l'apparition de képis, juchés sur leurs chevaux, mais les gendarmes ne viendraient pas. Un mouvement de foule dégagea la silhouette, tondue à présent, de Marjorie Sourzac, assise sur une chaise de bar cannelée, le visage barbouillé de suie et de larmes. J'ai ressenti une intense pitié pour cette femme. Un après-midi d'hiver, à Gluges, me voyant transi sous l'auvent de la carriole, dégoulinant de pluie, elle m'avait fait entrer chez elle pour que je me réchauffe. J'aurais voulu faire à mon tour quelque chose pour elle, mais quoi ? Ma mère m'avait aperçu parmi la foule. Sur le pas de la porte du magasin, qui me parut vide et désert, elle m'embrassa après m'avoir longuement regardé, comme pour se persuader que c'était bien moi.

— Il était temps que tu arrives. Il a perdu connaissance depuis hier soir, dit-elle d'une voix douce que je ne lui connaissais pas.

Des émanations d'éther et d'embrocation flottaient dans la maison. C'était étrange, cette odeur qui se substituait à celle du pain chaud, qui aurait dû noyer le rez-de-chaussée à cette heure de la matinée. J'ai grimpé en courant l'escalier jusqu'à la chambre du fond. J'ai eu le temps de noter qu'il n'y avait plus de trace de farine conduisant jusqu'à la chambre du fantôme. Mais la maison de mes parents était-elle encore une boulangerie ? Mon père dormait. Sa respiration était bruyante et saccadée. Son front blanc ruisselait de sueur. Son sommeil était agité, je ne savais pas quelle contenance prendre. Devais-je demeurer auprès de lui, à attendre son réveil ? Une pudeur me saisit, j'eus le sentiment de dérober à Célestin des moments qui n'appartenaient qu'à lui. Je n'avais jamais vu dormir mon père, ni ne l'avais surpris manquant d'empire sur lui-même. Il avait beaucoup maigri au cours de ces derniers mois. Sa moustache blanche avait été épointée. Comme pacifié par l'approche de la mort, il n'avait plus cette expression farouche qui le faisait ressembler un peu à Staline. Il se retourna dans le lit, dont les ressorts grincèrent. Une idée absurde me vint : il reste encore de la chair sur cette carcasse, la mort peut-elle le prendre avant de l'avoir toute consumée ? Le bruit de forge de sa respiration fut interrompu par une toux caverneuse. Je n'avais jamais entendu quelqu'un tousser si fort, comme si des matières solides obstruaient ses voies respiratoires. Sa toux ne le réveillait pas et c'était bien le plus inquiétant. Ma mère avait entrebâillé la porte et je vis qu'elle pleurait en silence. J'étais assis à la tête du lit depuis plusieurs minutes quand la large main, à présent décharnée et noueuse, se leva. Je la saisis et la gardai serrée. Une profonde émotion me submergea lorsque je sentis la main de Célestin étreindre à son tour la mienne.

— Cyprien, réussis-je à entendre en me penchant sur lui, achève ce que tu as à faire et reviens. Ta mère a besoin de toi... Elle ne te le dira pas.

J'étais incapable de parler. J'entendais, par la fenêtre entrouverte, le bruit de l'émeute qui ne désarmait pas. La foule avait dû trouver d'autres femmes à tondre, d'autres « collabos » à punir. La sirène sonna, couvrant le bruit de la respiration du mourant. Je sentis une nouvelle pression de la main de Célestin, qui avait agrippé mon bras :

— Les tableaux ! cria-t-il aussi fort qu'il le put.

Je le calmai en lui expliquant que la guerre était finie, que *Le couronnement de l'empereur* allait regagner le Louvre, que les Allemands étaient repartis chez eux, qu'il en restait à la pointe de Grave, que je m'étais engagé dans l'armée française pour finir de les chasser. Après quoi, je reviendrais et remonterais la boulangerie avec Julie. Pierre Langeol avait un fils qui paraissait décidé à lui succéder, et quant à nous, nous avions compris que notre place était ici...

Il m'a semblé voir un vague sourire flotter sur ses lèvres, comme si mes derniers propos l'avaient apaisé.

— L'armée française..., murmura-t-il. Comme mon père, le maître de bosses.

Puis un léger rictus lui est venu, et il a ajouté :

— Surtout, ne te mets pas à boire. Julie ne mérite pas ça... Méfie-toi, un boulanger, ça a toujours soif...

Mon père avait fermé les yeux, pour toujours, sans un cri, sans une plainte. Mais qui l'eût entendu dans le vacarme qui continuait de déferler dans le village, par vagues intermittentes ? J'étais sorti sous la treille, intrigué par le va-et-vient d'un camion qui montait et redescendait la côte de la Fontaine, franchissait le carrefour pour aller tourner après le petit pont sur la Sourdoire. Il revenait une fois de plus, phares allumés, car la nuit tombait. Je le vis fendre la foule au ralenti. Il se frayait un passage parmi les hurlements, les jets d'objets divers, une nappe d'invectives qui roulait au rythme de sa progression. Quand il passa devant la boulangerie, je vis, exhibées sur le plateau découvert du camion, deux femmes du village, encadrant Mme Sourzac, tondues comme elle, une croix gammée maladroitement dessinée sur le front. Le cœur au bord des lèvres, je rentrai dans le fournil. L'odeur de vieux bois brûlé qui y régnait me fit songer à la veillée funèbre de Giuseppe. Je compris soudain ce que mon père voulait dire quand il affirmait que la guerre ne tue pas seulement les corps, mais aussi les âmes. L'âme de mon village renaîtrait-elle un jour ? Saurions-nous surmonter la lugubre mascarade qui le secouait en ce moment ?

Un geste me restait à faire, un geste de paix. J'ai bourré le foyer de tout le combustible que j'ai pu rassembler : sarments, copeaux dont il restait plusieurs sacs dans la cambuse, et j'ai allumé le four. Le ronronnement n'a pas tardé à monter, le bruit d'un organisme qui va chercher au tréfonds de lui-même les ressources de la vie. Lorsque le crépitement se fut renforcé, au point de couvrir le vacarme de la rue, j'ai ouvert la porte de fonte et j'ai vu les volutes orange s'engouffrer en grondant dans la haute cheminée, avant de refluer vers moi, comme un animal familier qui vient se frotter à vos jambes. J'ai libéré les ouras d'un geste brusque et, en me penchant, j'ai pu voir les hautes flammes bondir à la verticale, faisant chanter la cheminée et revivre le vieux fournil dont les ombres se remirent à danser sur le rouge retrouvé des murs. Puis ce furent un, deux, dix grillons qui reprirent leur chant...

Composition réalisée par JOUVE

IMPRIMÉ EN ALLEMAGNE PAR ELSNERDRUCK
Dépôt légal Édit. : 13241-09/2001
LIBRAIRIE GÉNÉRALE FRANÇAISE - 43, quai de Grenelle - 75015 Paris.
ISBN : 2 - 253 - 15106 - 8